3 1489 00775 5414

LAS

DOCE PUERTAS

LIBRO 1

Vicente Raga

addvanza books

Vicente Raga

Nacido en Valencia, España, en 1966. Actualmente residiendo en Irlanda, pero mañana ¿quién sabe? Jurista por formación, político en la reserva, ávido lector, escritor por pasión, guionista, articulista de prensa, viajante impenitente y amante de su familia. Viviendo la vida intensamente.
Carpe diem.

Autor superventas de la serie de éxito mundial de ***«Las doce puertas»***, traducida a varios idiomas. Número 1 en los Estados Unidos, México y España. TOP 25 en Europa, Canadá, Australia y Nueva Zelanda.

COLECCIÓN
DE NOVELAS
«LAS DOCE PUERTAS»

Primera edición, abril de 2019
Segunda edición, diciembre de 2019
Tercera edición, mayo de 2020
Cuarta edición, enero de 2022
Quinta edición, marzo 2022
Sexta edición, febrero de 2023

© 2019 Vicente Raga
www.vicenteraga.com

© 2019 Addvanza Ltd
www.addvanzabooks.com

Fotocomposición y maquetación: Addvanza
Ilustraciones: Leyre Raga y Cristina Mosteiro

ISBN: 978-84-1201890-5

Queda prohibidos, dentro de los límites establecidos
en la Ley, y bajo los apercibimientos legalmente
previstos, la reproducción total o parcial de esta obra
por cualquier medio o procedimiento, ya sea electrónico
o mecánico, el tratamiento informático, el alquiler o
cualquier otra forma de cesión de la obra sin la
autorización previa y por escrito de los titulares de los
derechos de autor.

A mi familia, amigos y compañeros del colegio. De forma consciente o inconsciente, todos habéis contribuido a crear el universo de **Las doce puertas**.

ÍNDICE

NOTA DEL AUTOR

En la parte histórica de la presente novela, correspondiente a los siglos XIV, XV y XVI, todos los personajes que aparecen son reales y existieron en su exacto contexto histórico. No obstante, los hechos que se narran son ficticios y no tuvieron por qué ocurrir de la manera descrita. En la parte actual de la novela, todos los personajes y los hechos narrados son ficticios. Los acontecimientos históricos que se describen en ambas partes se corresponden con la realidad.

En toda la novela se utilizan las fechas de acuerdo con el calendario gregoriano. A efectos de claridad y homogeneidad no se usa el calendario hebreo. También, por el mismo motivo, utilizo las fracciones de tiempo de horas y minutos.

I 25 DE JUNIO DE 1389

Hoy se preparaba algo grande. Lo presentía, y no se solía equivocar en esas cuestiones.

Samuel vivía con sus abuelos desde hacía tres años, cuando se quedó huérfano. Isaac, su abuelo, era el rabino de Valencia, toda una personalidad en la judería de la ciudad.

Esta mañana se había levantado muy temprano y había sorprendido a su abuela preparando una capa negra con una gran capucha. Su corazón se aceleró de inmediato. Recordaba muy bien la última vez que había visto esa capa, hacía ya un año. Aquella noche apenas reconoció a su abuelo, cuando advirtió cómo abandonaba su casa furtivamente y se escabullía entre las sombras nocturnas de la judería. Samuel era un niño de diez años con una curiosidad arrolladora. No se pudo resistir, saltó por la ventana a la calle y marchó tras él.

Samuel se preguntaba adónde iría con semejantes ropajes a esas horas de la noche. Era algo insólito. La judería permanecía en silencio. Todos estaban en sus casas.

«Bueno, todos no», pensó.

Lo siguió hasta la Sinagoga Mayor. Aquel día se celebró la primera reunión del consejo de los diez, como su abuelo lo había llamado, aunque curiosamente tan solo asistieron seis personas. Todo duró apenas unos minutos. Hablaron de la importancia de completar lo iniciado y que esperaban hacerlo en apenas un año. Samuel no entendió gran cosa, pero tenía la sensación de que había sido testigo del inicio de algo que parecía importante.

Ya había pasado un año desde aquella primera reunión. Samuel estaba convencido de que esta noche iba a tener lugar la segunda, si no, su abuela no estaría preparando esa extraña capa. La emoción lo dominaba. Se pasaba gran parte de su tiempo estudiando en la escuela y, cuando salía, seguía con sus libros, así que cualquier situación que se escapara de la rutina cotidiana era objeto de su especial atención.

Ese día, en la escuela, se le pasó casi sin darse cuenta. Su mente no estaba con los profetas, sino con la reunión que preveía iba a suceder esta noche.

«¿Estarían los diez esta vez?», se preguntaba con una mezcla de curiosidad y nerviosismo.

Cuando anocheció, Samuel se quedó observando su ventana, que daba a la puerta de su casa. No tuvo que esperar demasiado. Como sospechaba, a medianoche, su abuelo salió con esa estrafalaria capa que le cubría toda la cabeza. Samuel saltó por la ventana y lo siguió a una distancia prudencial. Al fin y al cabo, ya sabía dónde se dirigía, a la Sinagoga Mayor, y vivían muy cerca de ella. Bajó por su calle hasta la plaza, pasó por enfrente de la carnicería hasta llegar a la sinagoga en unos pocos minutos. La oscuridad dominaba la judería, pero Samuel conocía el camino a la perfección, lo había recorrido infinidad de veces.

Cruzó el patio, intentando cobijarse en la oscuridad de los laterales, y entró en la sinagoga, por su única puerta. Era un momento delicado, pero jugaba a su favor que su interior estaba en completa penumbra, tan solo iluminado por la tenue luz de la *ner tamid*, la pequeña lámpara de fuego que simbolizaba la llama eterna.

Se escondió en el mismo lugar que la última vez, detrás de la penúltima fila de asientos, y se quedó completamente inmóvil.

No tuvo que esperar demasiado. Poco a poco fue observando cómo llegaban diferentes personas vestidas con idénticas capas a las de su abuelo, todos con la cabeza oculta. No pudo ver ninguna cara ni conocer a nadie. «Supongo que es el sentido de llevar esas capas, que nadie te reconozca», pensó Samuel desde su escondite. Desde luego cumplían su función a la perfección.

Todos estaban en completo silencio. De repente, uno de los participantes cogió del brazo a su abuelo y se acercó hacia el final de la sinagoga, donde estaba agazapado Samuel. Casi se le sale en corazón por la boca. Pensaba que lo habían descubierto, ya que se encontraban a menos de dos metros de él. La penumbra le salvó.

—Lo has hecho muy bien Isaac —dijo la persona, con voz de anciano, que acompañaba a su abuelo. Samuel casi podía oler su aliento—. Por fin hemos completado el Gran Consejo.

«Gran Consejo, así se hacen llamar los diez», pensó, acurrucado cada vez más sobre sí mismo. Estaba hecho un ovillo.

Samuel había leído muchos libros estos últimos dos años y, por tanto, conocía qué eran los consejos en las juderías. Eran unos órganos que tenían cierto poder en las aljamas más importantes. El consejo de la aljama de Valencia estaba compuesto por treinta personas, igual que la de Barcelona. Sin embargo, en Xàtiva lo formaban únicamente siete personas, porque su población era menor. Junto con el *muqademin* o *adelantado* y el *bayle* de la judería, gobernaban las aljamas.

«Pero esto no se parece en nada a un consejo judío, ni sus miembros se visten así, ni se reúnen con este sigilo a medianoche», pensó Samuel. Además, no sabía de la existencia de ningún gran consejo, jamás había leído ni escuchado ese nombre, y eso que le apasionaba leer. Era consciente que estaba asistiendo a algo fuera de lo normal.

Su abuelo y el anciano siguieron hablando.

—Sin duda los acontecimientos se precipitarán, y hemos de estar preparados para lo peor. Supongo que ya lo conoces —le dijo en un susurro el anciano.

—Lo sé, Jacob. Nos llegan malas noticias de todos los lugares, pero por fin, después de mucho esfuerzo, las partes están en su sitio.

—Todas no.

Isaac permaneció en silencio.

—Solo falta tu nieto, ¿sabe algo ya? —continuó la persona que se hacía llamar Jacob.

«¿Solo falto yo?», se preguntó Samuel con absoluta sorpresa. Se puso más nervioso todavía, ya no sabía cómo agazaparse. Estaba acurrucado sobre sí mismo, ocupando el mínimo espacio posible.

Su abuelo continuó la conversación.

—Llevo casi tres años iniciándole de forma personal. Como todos suponíamos, es extremadamente inteligente para su edad. Ya tiene un amplio conocimiento del Talmud, de los profetas y de la *Torah*. Desde los ocho años es capaz de comprender materias complejas de la *Halakhah*, incluso ahora se sabe de memoria varios tratados completos de la *Misnah*, pero aún no he empezado con la parte secreta. Está claro que es hijo de Rabbi Isaac.

El anciano hizo un gesto de aprobación con la cabeza.

—Y también nieto tuyo. No seas humilde, Isaac. Lo importante ahora mismo es que prosiga su formación sin sospechar lo importante que es y será para todos nosotros —dijo el anciano.

«¿La parte secreta? ¿Lo importante que yo soy y seré? ¿Para qué?», se preguntaba Samuel, absolutamente sorprendido desde detrás de los asientos.

Samuel no entendía nada.

Tenía que reconocer que estaba asustado.

2 EN LA ACTUALIDAD, MARTES 1 DE MAYO POR LA MAÑANA

—Rebeca, te llama el señor director a su despacho, es urgente —gritó Alba, por encima de las catorce mesas y sus correspondientes cabezas que se amontonaban en la sala. Alba era la secretaria personal del director. Trece miradas, las de todos sus compañeros, se posaron en ella.

«¿Urgente? Qué raro, si nunca me hace ni caso», pensó.

Rebeca llevaba casi tres años escribiendo la sección de Historia para el periódico *La Crónica* bajo el seudónimo de la gran Atenea, que era la diosa griega de la sabiduría. Le quedaban tan solo unos meses para acabar el grado de Historia. Aunque el sueldo en el periódico era modesto, por lo menos le permitía pagarse sus estudios. No le importaba compaginar la universidad con el trabajo, ya que, desde pequeña, siempre había disfrutado escribiendo y, además, le apasionaba la historia. Cobraba por hacer lo que le gustaba.

Rebeca era consciente de que vivíamos en la era de la imagen. A la gente le costaba mucho leer los periódicos, y todavía más si se trataba de artículos de historia, por ello siempre le gustaba dar un toque personal a sus relatos. Y no le había ido nada mal. Su sección era de las más leídas, y hasta tenía su pequeño grupo de seguidores habituales.

El despacho del director estaba en el otro extremo de la redacción. Mientras caminaba pensaba cuántas veces había entrado en tres años. «¿Tres, quizá cuatro? Y la primera no cuenta, que fue cuando firmé el contrato».

«Bernat Fornell, director», leyó en voz alta. Llamó a la puerta, esperó el permiso y entró en el despacho. Se encontró, sentada enfrente del director, a una señora, en toda la significación de la palabra, nunca mejor dicho.

Al ver entrar a Rebeca, el director Fornell se levantó de su silla, e hizo una especie de reverencia en dirección a su invitada.

—Rebeca, tengo el honor y el placer de presentarte a la condesa de Dalmau —dijo con solemnidad.

Rebeca miró a aquella señora, que parecía recién llegada de una carrera de Ascot. Iba enfundada en un sofisticado traje verde de una sola pieza, con un escote *off-the-shoulder* muy elegante, aunque quizá demasiado atrevido para la edad que parecía vislumbrase bajo esas generosas capas de maquillaje. Pero lo que indudablemente llamaba la atención era su inmenso sombrero y su tocado. Lo llevaba dejado caer sobre la cara, con una especie de gasa semitransparente que dificultaba verle la cara, ya que le ocultaba medio rostro.

«Así solo deja ver la mitad de su edad», pensó con maldad Rebeca.

—¿Tú eres la gran Atenea? —preguntó la condesa con gesto de gran extrañeza—. No puede ser —dijo, dirigiéndose al señor Fornell.

—Le aseguró que si, señora condesa, es muy buena en su trabajo—se apresuró a responder el director—. Tiene mucho talento y éxito.

—No, si no lo dudo. Lo digo por la edad. No te ofendas, pero me parece que eres demasiado joven para ser la gran Atenea.

«Vaya, otra más», pensó Rebeca. Después de tres años escribiendo relatos históricos, ya estaba acostumbrada a que multitud de chalados de todos los colores le mandaran mensajes y le pidieran entrevistas. No sabía por qué, suponía que siempre pensaban encontrar a una señora tipo Eduard Punset o algo así. Cuando veían a una joven de veintiún años estudiante de Historia, sin el pelo blanco alborotado, todos se desilusionaban. Se ve que no les resultaba lo suficientemente exótica. «Debería venir a trabajar despeinada», se decía. Estaba claro que la condesa no era diferente a los demás. «¿O sí? No sé». Desde luego, su mirada tenía un brillo especial.

Rebeca conocía a la condesa de Dalmau por las revistas del corazón. Era dos veces grande de España y una de las mayores fortunas del país. Siempre había residido con su familia en su palacio de la calle Caballeros, en el centro de Valencia, pero la muerte de su marido, el conde de Ruzafa, en un desgraciado accidente de caza, cambió radicalmente su vida. Dejó la ciudad de un día para otro, y fijó su residencia en el palacio de verano que su familia tenía en Sintra, junto a Lisboa, en Portugal.

La condesa continuó hablando.

—Bueno, no perdamos más el tiempo, ya que he venido hasta aquí pasemos al motivo de mi visita. Sabrán que llegué a Valencia ayer. No pisaba mi ciudad desde el funeral de mi marido, hace ya siete años. Tengo que decirles que no es una visita voluntaria ni de cortesía. He venido obligada por mis abogados, ya que parece ser que si no arreglo cierta documentación legal de la herencia, podría tener problemas con Hacienda. Desde luego, en cuanto resuelva el dichoso papeleo me vuelvo a Lisboa. No piensen que tengo nada contra mis raíces, estoy al tanto de todo lo que ocurre aquí, de hecho, leo su periódico todos los días, pero no soporto a ninguno de mis hijos. ¡No piensan más que en gastarse el dinero de la familia y, además, ahora solo me faltaba Hacienda! —dijo, con aires de teatralidad, la condesa.

—Bueno, no será para tanto... —intervino el director.

«Esperemos que termine su particular *mise-en-scène*, pensó Rebeca. «A ver si va al grano pronto».

—Y tanto que lo es, pero vayamos al grano —dijo la condesa.

«¿Me lee el pensamiento?», se dijo Rebeca, entre divertida y curiosa.

—Como decía, Hacienda me obliga a hacer un inventario completo de todos los cuadros, joyas y demás objetos de valor que hay dentro del palacio, un auténtico aburrimiento. Sin embargo, esta mañana me he encontrado con una pequeña sorpresa, una caja fuerte, detrás del Pinazo que escondía mi marido en su despacho. No tenía ni idea de que estaba allí. Un experto la ha abierto. Sorprendentemente, no había nada de valor en su interior, tan solo unos dibujos viejos. Lo curioso es que parecen una especie de acertijo histórico. Y digo que es curioso porque mi marido no era aficionado a esas cosas, y me resulta muy extraño que se tomara la molestia de guardar esos papeles en una caja fuerte, y que, además, me ocultara su existencia. Se supone que entre nosotros no había secretos.

«Bienvenida al mundo real», pensó Rebeca. De todas maneras, tenía que reconocer que la condesa había conseguido captar su atención.

—No se me ocurría qué hacer con estos dibujos viejos, así que he pensado ¿por qué no se los llevo a la gran Atenea? Ella es especialista en temas históricos y quizá sea capaz de descifrar su contenido. Te leo todas las semanas. Tu sección es de lo poco que me entretiene en este mundo tan vulgar en el que vivimos —dijo, mientras miraba a Rebeca.

—Gracias, señora condesa. Me abruma con su amabilidad, pero la realidad es que la mayoría de historias en las que se basan mis relatos ya han sido escritas previamente por otras personas. Lo único que hago yo es darles forma para adecuarlos a la sección del periódico y añadirles un pequeño toque personal.

—No te hagas la modesta, que no dispongo de tiempo. Tengo entendido que hay algún pequeño misterio histórico que has resuelto tú misma, ¿no?

—Sí, es verdad, pero... —intentó objetar Rebeca.

—¡No me pongas excusas antes de intentarlo, niña! —zanjó la condesa.

Por un momento Rebeca volvió trece años atrás. Tenía tan solo ocho años y medio cuando sus padres fallecieron, pero recordaba perfectamente esa frase en boca de su madre. «¡Cómo los echaba de menos!» Se distrajo unos segundos pensando en ellos.

—¿Qué opinas, Rebeca? —dijo el director Fornell.

—¿Qué opino de qué? —dijo Rebeca, sin darse cuenta que la condesa había extendido unos dibujos encima de la mesa.

Al verlos se quedó de piedra. No sabía qué decir.

—¡Caramba, sí que son antiguos! —acertó a murmurar Rebeca.

—Eso ya lo había dicho yo, niña —replicó la condesa—. Lo que quiero saber es lo que significan.

—Comprenda que, ahora mismo, no sé qué decirle, señora condesa. Entienda que tendré que estudiarlos en profundidad, y desde luego no le puedo garantizar absolutamente ningún resultado.

—No quiero que me garantices nada. Simplemente dime por qué mi marido guardó en una caja fuerte secreta, que ni yo mismo conocía, unos dibujos sin sentido y, sin embargo, dejó encima de la mesa del despacho su huevo de Fabergé y la gargantilla de su familia con un diamante rojo, de altísimo valor económico y sentimental. Cuando más lo pienso, menos lo entiendo.

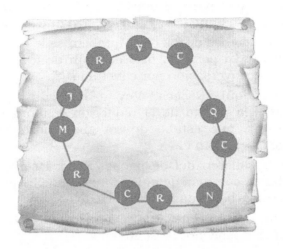

Mientras la condesa hablaba, Rebeca seguía mirando los documentos con los ojos abiertos como platos. Intentaba buscarles algún sentido, pero no le recordaban a nada que hubiera visto anteriormente,

La condesa continuó hablando.

—Quédate los papeles, puedes guardarlos en este sobre. Para mi desgracia, Hacienda aún me retendrá unos días en Valencia, así que volveremos a hablar antes de que regrese a Lisboa. Espero que, para entonces, ya hayas cerrado esa boca abierta que se te ha quedado y tengas algo que decirme.

Al parecer, además de los ojos, también se le había quedado abierta la boca. La condesa hizo ademán de levantarse de la silla, dando la conversación por concluida.

—Espérate aquí, Rebeca. Voy a despedir a la señora condesa hasta la puerta de la redacción y ahora vuelvo —le dijo el director, que estaba de un obsequioso fuera de lo normal, algo extraño en él.

En cuanto salieron del despacho, Rebeca cerró la boca y miró los dibujos con más detenimiento. Desde luego eran muy antiguos, y ese árbol le daba cierto miedo.

Al cabo de un momento el director Fornell entró como un vendaval en su despacho. Se sentó en su silla.

—Escucha, Rebeca. Esto es muy importante para el periódico. Sabes quién es la condesa. Desde la muerte de su marido, el señor conde, no ha concedido ninguna entrevista a ningún medio de comunicación, ni nacional ni internacional, y ahora, de repente, después de siete años en el exilio, viene a Valencia. Además, cuando apenas lleva un día en la ciudad, nos hace una visita, a nosotros, a un periódico local. Es completamente inaudito.

—Pero... —empezó a decir Rebeca.

—Sí, ya sé que no es precisamente una exclusiva, pero estamos hablando del contenido de una caja fuerte que perteneció a su difunto marido, el conde de Ruzafa. Aunque sea un acertijo sin ningún sentido, hay que sacarle todo el jugo que podamos.

No corrían buenos tiempos para *La Crónica*, en realidad, para ningún periódico impreso. La era digital estaba castigando al papel, por eso, en el fondo, comprendía al director Fornell. Cualquier asunto que se saliera de lo normal podía significar vender más ejemplares, y eso era lo que más importaba.

—Lo que quería decirle es que no tengo ni la más remota idea de lo que significan los dos dibujos de la condesa, señor director, no le quiero mentir. No se cree falsas esperanzas.

—Eso me tiene sin cuidado. Prepara un artículo y que salga en la edición de mañana mismo. Lo podrías titular *El secreto de los condes* o algo así.

Rebeca estaba apurada, no sabía cómo salir de aquel atolladero. Intentó explicarse.

—Escuche, señor director. Quizá fuera más prudente que, antes de publicar nada, analicemos los papeles de la condesa. Imagínese el ridículo que podría hacer el periódico si anunciamos a bombo y platillo un misterio histórico, creamos gran expectación en toda la ciudad, y luego no somos capaces, no ya de resolverlo, ni siquiera de comprenderlo. Hemos de reconocer que no sabemos qué son estos extraños dibujos.

El director Fornell se quedó mirando a Rebeca durante un par de segundos. Era evidente que estaba sopesando sus palabras.

—¿Sabes? La prudencia jamás ha vendido periódicos, pero está bien, tú ganas, lo dejaremos para la edición de pasado mañana.

«¿Para pasado mañana? ¿Y yo he ganado?», pensó con incredulidad Rebeca.

3 · 25 DE JUNIO DE 1389

Samuel seguía escondido en la penúltima fila de asientos de la sinagoga. Por fin su abuelo y el anciano que lo acompañaba se alejaron de donde estaba oculto, y se acercaron al resto de la gente congregada. Samuel cogió aire como si no hubiera respirado en varios minutos. Ahora que lo pensaba, igual no lo había hecho.

Miró hacia el centro de la sinagoga. Parece que ya habían llegado todos los participantes a la reunión. Samuel los contó. Ahora sí que eran diez personas, el grupo al completo.

Todos se sentaron en los primeros asientos. Tomó la palabra su abuelo.

—Como todos sabéis, soy Rabbi Isaac Ben Sheshet Perfet, rabino de Valencia y director de la escuela talmúdica. A partir de hoy también seré vuestro anfitrión, porque esta sinagoga será nuestro lugar de reunión habitual. A los que os habéis incorporado hace poco, bienvenidos a la ciudad y al Gran Consejo. Soy el número dos.

Ahora tomó la palabra el anciano que había estado hablando con su abuelo, hacía un momento.

—Yo soy Jacob Abbu y soy el número uno. A partir de ahora, una vez ha quedado completado el Gran Consejo, nos llamaremos por los números que todos conocemos. Ya sabéis que la discreción es fundamental para nuestro adecuado funcionamiento.

Todos los presentes sabían quién era Jacob Abbu. Había sido un destacado orfebre durante toda su vida, pero no lo conocían por eso. Hace algunos años le habían hecho un encargo muy importante.

—No hace falta que os diga que hoy es un gran día para nuestro pueblo. Después de más de treinta años de preparativos, por fin estamos todos juntos y por fin hemos completado el árbol. Como sabéis, ha costado muchísimo esfuerzo traer cada una de sus ramas desde diferentes y lejanas aljamas —dijo con voz solemne—. Ha sido un gran trabajo culminado con gran éxito. Debo felicitaros a cada uno de vosotros.

«¿Más de treinta años para traer un árbol?» Samuel no daba crédito a lo que escuchaba. Su abuelo jamás se había interesado por la jardinería, siempre se encargaba su abuela. Le pareció muy extraño.

El número uno continuó hablando.

—Como ya previmos en su día, se avecinan malos tiempos para nuestro pueblo. Precisamente por eso, hace más de treinta años, decidimos constituir el Gran Consejo, y precisamente por eso estamos todos aquí hoy. Tomemos conciencia de que somos la gran esperanza y los guardianes del árbol —dijo con solemnidad—. Somos la semilla de algo muy grande, que perdurará a través de los siglos.

Se hizo el silencio absoluto en la Sinagoga. Samuel podía escuchar los latidos de su corazón.

—Estaremos a la altura de lo que se espera de nosotros —dijo una voz joven desde un extremo del grupo.

—Hemos hecho grandes sacrificios personales y familiares para estar aquí —exclamó otra voz—. Somos conscientes del esfuerzo y de las vidas que se han perdido para que estemos los diez unidos.

—Esta primera reunión del Gran Consejo es de mera cortesía. Vendrán otras en las que tendremos que tomar decisiones, y, seguramente, algunas serán muy difíciles —dijo Jacob.

—Como sabéis, no llegan buenas noticias ni de Sevilla ni de Córdoba. La situación está empeorando cada día que pasa. Nuestra gente está muy atenta a todo lo que ocurre y nos mantienen informados. Cuando se produzca algún cambio significativo, nos volveremos a reunir —dijo el abuelo de Samuel.

Jacob se levantó y miró a todos con una expresión de profunda preocupación.

—Mientras tanto, seguiremos con el plan establecido. Ya sabéis, discreción total, es fundamental que nadie sepa de nuestra existencia, para poder preservar el árbol.

—Ahora, una oración en memoria de aquellos que empezaron el proyecto y que ya no están entre nosotros —dijo su abuelo.

A continuación, empezó a recitar el *Kadish*. Curiosamente es una plegaria judía en memoria de los muertos que tan solo se recita en público, ante un mínimo de diez personas. Otra vez el número diez.

«¿Qué significará el número diez?», se preguntaba Samuel mientras los miembros de aquel extraño grupo estaban pendientes de la oración. Parece que todo giraba en torno a ese número.

Una vez terminado el rezo, se levantaron, y con el mismo sigilo que habían venido, se fueron uno a uno. Samuel se quedó, por un momento, sentado en su rincón, sin saber qué hacer. En estos momentos, no era consciente de la importancia de lo que había sido testigo, porque no lo comprendía.

«¿En serio todo este montaje es por un árbol?» Samuel no entendía nada de lo que había pasado. «¿Qué querrá decir? Y, sobre todo, ¿qué tengo que ver yo en todo este asunto?»

4 EN LA ACTUALIDAD, MARTES 1 DE MAYO A MEDIODÍA

Rebeca llegó a casa visiblemente alterada. No era nada habitual en ella, ya que le encantaba su trabajo y solía lucir una sonrisa.

—¿Qué te ha pasado hoy? ¿A qué viene esa expresión? Te noto nerviosa —le preguntó Tote en cuanto la vio entrar por la puerta.

Tote era el diminutivo por el que todo el mundo conocía a su tía, Margarita Rivera. Cuando los padres de Rebeca fallecieron en un accidente de tráfico, hacía ya trece años, Rebeca se fue a vivir con su único familiar vivo, que era su tía, la hermana de su madre, que la había acogido como una hija.

No había sido nada fácil para ambas. Rebeca tenía poco más de ocho años y su tía vivía con Sandra, su entonces pareja. La entrada de Rebeca en la familia acabó por romper esa relación. Su tía jamás se lo había reprochado, pero Rebeca se encontró muy incómoda durante un prolongado tiempo. Siempre había sido muy inteligente para su edad, y al principio no comprendía por qué su tía no le hablaba con franqueza de su relación con Sandra.

«¡Si me parece muy normal!, no tienes por qué esconderlo», pensaba casi a gritos Rebeca.

Pasados los primeros años, ya comprendió que su tía tenía todo el derecho a contar lo que ella quisiera y cuando ella quisiera. Con la llegada de Joana, su actual pareja, las cosas se normalizaron por completo, y ahora vivían como una familia cualquiera. Rebeca era feliz, tanto por ella como por ver a su tía y a Joana juntas.

—Hoy he conocido a la condesa de Dalmau —dijo Rebeca.

—¿No me digas? —preguntó sorprendida Tote—. Yo la conocí hace unos diez años, toda una señora, ¿verdad?

La tía de Rebeca, Margarita «Tote» Rivera, fue la primera mujer en España en alcanzar el grado de comisaria del Cuerpo Nacional de Policía. Ahora estaba al frente de la Brigada Provincial de Extranjería, «rellenando DNI y pasaportes», como Rebeca le gustaba decir para fastidiarle, pero hace diez años estuvo destinada en la Comisaría de Denia, dónde tenían una casa palaciega los señores condes.

—No te quedes ahí callada, cuéntame —le dijo con curiosidad su tía.

—Pues nada, es otra *señorona* con aires de grandeza que se creía que la gran Atenea era una anciana de pelo blanco, es decir, más de lo mismo, pero está vez en versión nobleza. En este país parece que hasta que no cumplas setenta años o tengas un aspecto exótico, no puedes escribir relatos históricos. No te toman en serio.

—Escucha, no te dejes engañar por las apariencias. La condesa de Dalmau es una persona muy perspicaz y mucho más inteligente de lo que puede parecer a simple vista, te lo aseguro.

—No lo dudo, pero me ha puesto en un verdadero compromiso. Me ha entregado unos dibujos antiguos que contienen, aparentemente, una especie de acertijo histórico, y ahora el director Fornell pretende que resuelva su significado en apenas veinticuatro horas.

—Esa es tu especialidad, ¿no? Desde pequeña se te ha dado muy bien resolver problemas y adivinanzas. ¿No recuerdas cómo te llamábamos? Siempre has sido la más inteligente de familia, con mucha diferencia, aunque te esfuerces por ocultarlo. Sin duda, heredaste los genes de tu madre. Catalina Rivera.

—Tía, esta vez no es lo de siempre. Lo que la condesa me ha entregado son unos dibujos muy antiguos que ni siquiera comprendo.

Rebeca sacó el sobre y mostró a su tía los papeles que la condesa le había entregado.

Tote los observó con detenimiento durante un par de minutos.

—Caramba, sí que parecen viejos. ¿Y qué significan esos números y esas letras?

—No tengo ni la más remota idea.

—Pues enséñaselos a Joana, para eso la tenemos, ¿no? —dijo su tía con un guiño.

Joana, la pareja de su tía, era profesora de Historia del Arte en la Facultad de Geografía e Historia de la Universidad de Valencia, donde estudiaba Rebeca. Ella misma las presentó hace casi tres años y muy poco después formaron una familia. Rebeca tenía mucha complicidad con Joana desde el principio de conocerse, se llevaban francamente bien.

—Ostras, no había pensado en ella, pero de todas maneras hoy es martes y toca reunión en el *Speaker's Club*. Mañana hablaré con Joana, ahora me doy una ducha y me voy.

Rebeca se levantó de la mesa a toda velocidad. Hoy habían comido muy tarde, y Rebeca se había despistado con la hora.

—Disculpa, tía. Recoge la mesa tú. Mañana lo haré yo.

—Corre, que hoy llegas tarde —le dijo Tote, mientras Rebeca ya estaba entrando en el baño para arreglarse.

5 | 12 DE ENERO DE 1390

Los primeros años de la vida de Samuel no habían sido nada fáciles. Apenas conoció a su madre y a su padre, que también era rabino. Falleció cuando Samuel tenía tan solo siete años de edad. Se encontró solo en Barcelona, sin ningún pariente vivo en la ciudad que pudiera hacerse cargo de él.

En consecuencia, a Samuel no le quedó otra alternativa que irse a vivir con sus abuelos paternos, que se acababan de establecer en Valencia desde hacía unos meses, procedentes de Zaragoza, después de que nombraran a su abuelo, Isaac Ben Sheshet Perfet, rabino de la ciudad, en el año 1385. De inmediato se hicieron cargo de Samuel y lo acogieron como una bendición. También había sido una mala época para su abuelo. En apenas unos años había perdido a su hermano menor, al hijo de su otro hermano, a su madre, y ahora a su hijo. En consecuencia, Samuel era un nieto muy querido. Ya llevaba viviendo con ellos casi cuatro años y formaban una familia muy unida.

Samuel se dio cuenta enseguida que su abuelo era una gran autoridad en la aljama y todas las personas lo trataban con mucho respeto. Las aljamas eran los organismos que aglutinaban a los judíos en cada ciudad. Al principio, Samuel pensaba que tenían un poder absoluto, pero pronto advirtió que estaban bajo el mando último del rey cristiano. Samuel también sabía, por sus lecturas, que no todas las juderías eran aljamas, era necesario que el rey les reconociese ese rango y que, además, contaran con todos los organismos que el derecho rabínico establecía. Por ejemplo, la aljama de Valencia se había organizado a imagen y semejanza de la de Zaragoza y, según había leído, después había asumido las *taqqanot* de la aljama de Barcelona. Las *taqqanot* eran las normas por las que regía internamente cada comunidad, por ello en Valencia, al igual que en Barcelona, existía el gobierno del consejo, que estaba formado por treinta personas.

«Pero jamás había leído o sabido acerca de ningún gran consejo», recordó mentalmente Samuel, que no se podía quitar de la cabeza aquella reunión.

A pesar de la dependencia del rey cristiano, su abuelo era toda una personalidad, no solo en Valencia, sino más allá de sus muros. Además de rabino, dirigía una escuela talmúdica de gran prestigio, de la que salieron destacados rabinos, e incluso algún famoso médico. No en vano, Samuel había escuchado que, desde el fallecimiento de Rabennu Nissim, que había sido el maestro principal de su abuelo cuando vivía en Barcelona, se había convertido en una de las máximas autoridades talmúdicas vivas.

A Samuel no dejaba de sorprenderle la fama de su abuelo, ya que le escribían desde todos los rincones del mundo, más allá incluso de Castilla y Aragón. Le pedían su opinión sobre diversas materias, incluso se le tenía en cuenta para la elección de otros rabinos, como ocurrió con Judah Ben David en Teruel. Pero la mayoría de las cartas que recibía versaban sobre cuestiones relativas a la *Halakhah*, que eran el compendio de las costumbres y tradiciones judías. Su abuelo le permitía leer alguno de los *responsa*, que era el nombre de las contestaciones que escribía y enviaba. Los leía con avidez. Al principio le costaba entender los razonamientos, pero muy pronto los llegó a comprender en su totalidad.

En consecuencia, Samuel y sus abuelos vivían de forma bastante desahogada, incluso tenían una casa de dos alturas sin ser mercaderes, algo insólito en la judería. Casi todas las viviendas eran muy pequeñas y de una altura. Tan solo los mercaderes, que eran los judíos más adinerados, junto con los prestamistas, se podían permitir viviendas de dos pisos, porque utilizaban la planta inferior para sus actividades comerciales. Las viviendas judías no diferían gran cosa de las cristianas, sobre todo porque ambos habían heredado las construcciones árabes, que pivotaban alrededor de un patio central, en muchas ocasiones con una fuente.

Las apreturas que sus abuelos habían sufrido, sobre todo en Zaragoza, habían quedado atrás. Samuel estaba recibiendo una educación magnífica y disponían de suficiente dinero, no solo para vivir bien, incluso para otorgar pequeños préstamos a otros miembros de la comunidad.

La tremenda curiosidad que tenía Samuel por todo lo que le rodeaba, le hacía desear salir de la judería, que algunos también llamaban *call*, palabra que se utilizaba sobre todo en Barcelona y Gerona. Desde que llegó a Valencia, Samuel jamás había salido de las murallas que lo delimitaban. «¿Nos delimitan o nos encierran?», pensaba con inteligencia. Además, había escuchado a su abuelo hablar de ciertas leyes cristianas que les prohibían salir, aunque sabía que no se cumplían de manera estricta.

No nos engañemos, en la judería de Valencia se confinaban unas 3.000 personas en un espacio muy reducido. Tenía un tamaño medio, en comparación con las de Toledo, Sevilla o Córdoba, por ejemplo. No era ni muy grande ni muy pequeña, «perfecta para vivir de forma discreta y cómoda», tal y como le gustaba repetir al abuelo de Samuel. Todo se organizaba a partir de un eje principal, que era donde se albergaban los edificios públicos, como la Sinagoga Mayor, y dónde también vivían las personas más influyentes, es decir, los mercaderes ricos o las autoridades de la aljama. En esta zona vivía Samuel. El resto de la judería eran enrevesadas calles muy estrechas y pasajes que, muchas veces, no sabía ni dónde terminaban, porque Samuel jamás los había pisado. En ocasiones estos pasajes no tenían ni siquiera salida, se denominaban *atzucach* y simplemente servían para dar acceso a algunas viviendas situadas en rincones.

La judería de Valencia era muy dinámica, sobre todo debido al *Açoch judàich*, más conocido como el zoco, que se situaba en una de las entradas, cerca del portal de la Figuera, para permitir el comercio con los cristianos. Llevaba funcionando más de un siglo. Sus obradores se subastaban cada año, aunque, según le había contado su abuelo, ahora todos eran propiedad de tres familias, los Xamblell, los Abolafia y los Astruch. También era determinante la existencia del puerto marítimo de Valencia, lo que dotaba de gran poder comercial a la ciudad, actividad de la que se aprovechaban los judíos para comerciar, sobre todo con la ciudad de Nápoles, con la que mantenían una estrecha relación.

Su abuelo le había dicho que el rey cristiano de Aragón, Juan I, había autorizado la ampliación y clausura de la judería, porque ya no cabían entre los antiguos muros, y que su construcción empezaría en breve, con el derribo del portal de En Esplugues. Ello había causado aún más enfrentamientos con los cristianos, que no veían con buenos ojos esta ampliación.

A pesar de ello Samuel era muy listo y suponía que el rey cristiano lo que quería en realidad era ampliar su particular cárcel para los judíos. También sabía que los cristianos los despreciaban profundamente, tanto a ellos como a su religión. Les acusaban de haber matado a su Dios. Incluso en una ocasión había oído a un niño cristiano llamarle a sus espaldas *rata del faraó*, pero «bien que vienen a nosotros para comerciar, o cuando necesitan nuestro dinero en préstamo», pensaba con cierto orgullo.

En una ocasión, Samuel se atrevió a preguntar a su abuelo si podía salir de la judería, y la respuesta le sorprendió por lo enigmática que le pareció. «Ahora nuestra vida está dentro de los muros. No tengamos prisa, quizá llegue el día que tengamos que salir de forma obligatoria», le dijo su abuelo, con un gesto muy serio en su rostro.

«¿Salir de forma obligatoria? ¿Por qué?» Samuel no entendió la respuesta, pero no volvió a preguntar. Por otra parte, todos sus amigos eran judíos y vivían dentro de los muros, así que tampoco le importó demasiado. «Ya creceré y saldré cuando tenga más edad», pensó.

En definitiva, a pesar de todas las calamidades familiares que había sufrido, Samuel era un niño feliz de once años rodeado de gente que le quería.

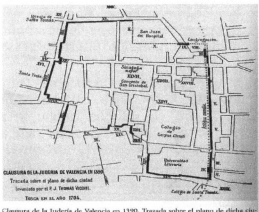

Clausura de la Judería de Valencia en 1390. Trazada sobre el plano de dicha ciudad levantado por el P. J. Thomás Vicente Tosca en el año 1704.

Fuente: Francisco Danvila, "Clausura y delimitación de la Judería de Valencia en 1390 a 1391". *Boletín de la Real Academia de la Historia*. Tomo 18. Año 1891.

6 EN LA ACTUALIDAD, MARTES 1 DE MAYO POR LA TARDE

—Chicas y chicos, tengo un gran problema y necesito toda vuestra ayuda —dijo Rebeca, nada más llegar al *Speaker's Club*, antes incluso de sentarse.

Desde que salieron del colegio Albert Tatay, y antes de que cada uno de ellos partiera hacia una Facultad diferente para continuar su formación o al mercado laboral, Rebeca y sus compañeros se confabularon para no perder el contacto. Se habían criado unidos durante muchísimos años. Casi habían pasado más tiempo juntos que con sus familias y no querían perder esa complicidad tan sana. Eran mucho más que amigos, casi familia.

Así, decidieron institucionalizar una reunión semanal, todos los martes, en un lugar fijo, en este caso en el *pub* irlandés Kilkenny's en la plaza de la Reina. Cada uno acudía cuando podía, pero con el paso del tiempo, y ya llevaban tres años, incluso se habían ido incorporando al grupo personas ajenas al colegio.

Siempre tenían algo que contarse. De hecho, Dan, el camarero inglés del *pub*, fue el que les bautizó como el *Speaker's Club*, porque, según él, «mucho hablar y poco beber». Lo más curioso es que todos los martes a las siete de la tarde tenían su rincón reservado en el *pub*, con un cartel que rezaba *Speaker's Corner*. Dan les decía que se comportaban igual que los charlatanes que frecuentan el famoso rincón del Hyde Park de Londres.

No siempre acudían los mismos a las reuniones, pero había algunos fijos que no solían fallar casi nunca. Hoy estaban todos los habituales menos Carlota, que tenía a su madre enferma y llevaba varias semanas sin poder acudir al club.

—Buenas tardes, Rebeca —dijo Almudena.

Almudena Bremer, o Almu, como la conocían todos, era una de sus amigas más antiguas. Empezaron en el colegio Albert Tatay a los seis años; ya tenían veintiuno y seguían juntas estudiando Historia. Era una chica menuda de ojos azules, «escondida detrás de sus gafas», como le gustaba decirle Rebeca para fastidiarla, porque era un poco tímida. Había nacido en Berlín, de dónde era su padre, aunque se había criado toda su vida entre Valencia y Denia, donde tenía su segunda residencia. Se tenían mucho cariño.

—Perdona, Almu, buenas tardes a todos. Hoy vengo hecha un torbellino —dijo Rebeca, cuando se dio cuenta de que ni había saludado al entrar.

—Ya te vemos, ya... —dijo Bonet.

En el colegio Albert Tatay existía la costumbre, desde pequeños, que todos se dirigían a todos por su primer apellido, no por su nombre propio. A medida que fueron haciéndose mayores, entre el grupo de amigos más cercanos empezaron a llamarse por sus nombres de pila, con una sola excepción, la de Juan José Bonet Segarra. Nadie sabía por qué, pero se quedó con Bonet para siempre. Estudiaba informática y era un apasionado de la robótica. «Cualquier día construiré un robot que vendrá a las reuniones, y ni os daréis cuenta de que no soy yo», le gustaba bromear, para cachondeo general, porque estaban seguros de que era perfectamente posible.

—Esta mañana he conocido a la condesa de Dalmau. Ha venido a verme al periódico —dijo Rebeca, con cierto tono solemne.

—¿A ti? ¿Estás segura? —dijo Charly.

Charly, que, en realidad, se llamaba Carlos Torregrosa, era el cachondo oficial del grupo. Era alto, moreno, de ojos verdes y le gustaba Rebeca, por lo menos eso es lo que se decía en el colegio, porque en lugar de Rebeca solía llamarla «Rebona», para enfado de esta. Recientemente había terminado sus estudios de piloto de transporte de línea aérea, aunque aún no volaba para ninguna y trabajaba para una compañía de aerotaxis. «Te piden horas de vuelo, pero si no te contratan, ¿cómo las vas a conseguir? Ya solo me falta probar con la capa de Supermán», solía decir cuando le preguntaban por su trabajo.

—En realidad, no me venía a ver a mí sino a la gran Atenea —aclaró Rebeca.

—Bueno, tú eres la gran Atenea —dijo Carmen—. Es lo mismo.

Carmen Valero era una de las personas que se había incorporado al *Speaker's Club* sin haber pasado antes por su colegio. Vivía en la calle del Mar, muy cerca del *pub*, del que también era clienta habitual desde que se separó de su marido. Hacía dos años que hizo amistad con ellos y poco después Rebeca la invitó a participar en sus reuniones semanales, porque le caía francamente bien. Era la mayor del grupo, tendría unos cuarenta y cinco años, y aportaba la dosis de sensatez y cordura que habitualmente les faltaba a todos los demás, que eran más alocados. Aunque les había dicho que era enfermera, jamás había ejercido su profesión. Había aprobado unas oposiciones de archivera del Ayuntamiento de Valencia. Sus amigos decían que era algo *vigoréxica*, porque cuando no trabajaba siempre estaba en el gimnasio, pero no se atrevían a decírselo a su cara, «porque con lo fuerte que está, es capaz de pegarnos una paliza», bromeaban.

Rebeca continuó la conversación.

—Sí, pero quería decir que la condesa no preguntó expresamente por Rebeca Mercader, que soy yo, sino por el seudónimo que utilizo en el periódico, la gran Atenea. En realidad, no sabía ni quién era. Como siempre me ocurre, le sorprendió mi juventud.

—Es que lo eres, y muy guapa —recalcó Carmen —Yo casi no me acuerdo de cuando tenía tu edad.

—¿Cómo te atreves a decir eso Carmen? ¡Ni que tuvieras cien años! Además, lo dices precisamente tú, que estás estupenda y te cuidas mucho —le contestó Rebeca—. Ya me gustaría conservarme igual de bien que tú cuando tenga tus años.

—¿Te han dicho alguna vez que te pareces a la cantante esa, a Taylor Swift? —continuó Carmen.

—Eso mismo me dice mi tía, pero yo no me veo ningún parecido —contestó con algo de vergüenza, aunque realmente sí que lo tenía. Era sorprendente lo que se asemejaban, pero a Rebeca no le gustaba que se lo dijeran.

—Ya terminaréis con los piropos mutuos, ¿no? Por cierto, Rebeca ¿la condesa no reside, en la actualidad, en Lisboa? —preguntó Xavier.

—¿Y tú cómo sabes eso? ¿No dices que no te interesan ni los personajes del corazón ni de la nobleza? —le contestó con sorna.

Xavier Manzano era la cuota republicana del grupo, como acostumbraban a decirle en tono de burla, y también tenía un punto de antisistema. Cuando terminó el colegio no siguió estudiando, se puso a trabajar, y no le había ido nada mal. Desde hacía seis meses era el director comercial de una multinacional alemana para la zona este de España. Dado que viajaba bastante, no podía asistir a todas las reuniones del *Speaker's Club*. Vivía solo en un piso antiguo del Barrio de Carmen, cerca del *pub*. Lo más característico de Xavier era su pelazo a lo afro. Le encantaba la música electrónica, de hecho, para fastidiarle, a veces le llamaban D.J. Manzano. Sorprendentemente, no parecía importarle.

—Y no me interesan esos parásitos, pero los republicanos también tenemos algo de culturilla popular —le respondió con más sorna Xavier.

Rebeca continuó su explicación.

—Tienes razón, Xavier. La condesa vive en Lisboa, solo ha venido a Valencia de forma temporal, por no sé qué lío con Hacienda, parece que por la herencia de su difunto marido. Está haciendo un inventario de los objetos de valor de su palacio.

—¿Y qué pintas tú en un inventario de bienes para Hacienda? —preguntó Fede intrigado.

Federico Martínez Colomer, también conocido como Fede, era la pareja artística de Charly en el colegio. Siempre iban juntos a todos lados y les acabaron llamando «Charly y Fede», como si se tratara de un dúo de humoristas. En ocasiones se unían también con Xavier. Procedía de una familia muy conocida en Valencia, «y también muy rica, no os olvidéis», como a él mismo le gustaba recordar, bromeando. Estudiaba el doble grado de Derecho y Ciencias Políticas. No era tan guapo como Charly, pero tenía unos ojos azules preciosos. En secreto, era el preferido de Rebeca, aunque se esforzaba mucho para que no se notara, ya que le daba vergüenza.

—No pinto absolutamente nada en ese inventario. Resulta que la condesa, moviendo los cuadros, ha descubierto una caja fuerte, cuya existencia desconocía. La ha abierto y no tenía nada de valor dentro, tan solo unos papeles viejos — explicó Rebeca.

—¡Qué apasionante! —dijo Charly, medio riéndose, en claro tono de guasa.

—¿Acaso te atreves a burlarte de mí? ¿Y qué dirías si afirmo que esos papeles contienen un acertijo escrito hace varios siglos, y que los tengo en mi bandolera, aquí mismo? —respondió desafiante.

—¡Sácalos ya! —gritaron todos a coro.

Samuel iba creciendo y vivía feliz en la judería de Valencia. Le gustaba estudiar y leer. Prácticamente se dedicaba todo el día a ello. Su abuelo le ayudaba y no le importaba pasarse horas explicándole diferentes conceptos de la *Halakhah*, que para un niño de doce años eran difíciles de comprender. Pero Samuel los entendía y veía el brillo de satisfacción en los ojos de su abuelo. Disfrutaban los dos.

Siendo su abuelo el rabino de Valencia, la religión hebrea impregnaba toda su vida. Acostumbraba a organizarse las horas del día en función de los tiempos de rezo, el de la oración vespertina o *arvit*, el de la oración matutina o *shajrit* y el de la tarde, antes de la puesta del sol, llamado *minjá*. Por todo ello, la vida de Samuel era muy rutinaria. No alcanzaba a imaginar cuál podría ser la parte secreta que le faltaba a su educación, pero no quería preguntárselo a su abuelo. Si se lo decía, sabría que lo había espiado en la reunión del Gran Consejo, y ya no podría asistir a hurtadillas a ninguna más. Samuel era demasiado curioso como para renunciar a semejante aventura, aunque no la comprendiera.

Precisamente cuando pensaba en el Gran Consejo, Samuel era consciente de que necesitaba ayuda. Tenía que reconocer que su curiosidad era superior a su miedo, pero consideraba que, si estuviera acompañado, quizá se sentiría mejor. La última vez lo pasó verdaderamente mal, cuando se creyó descubierto por su abuelo y el anciano. Ya había trascurrido más de un año desde la última reunión del Gran Consejo, pero había decidido que no quería acudir solo a la próxima, fuera cuando fuese.

Le dio muchas vueltas al asunto y, después de reflexionar con calma, decidió que podía confiar en Salomó Gabriel, al que todos conocían por su apellido familiar Gabriel. Su padre era el famoso médico Isach Gabriel y su madre era Mayionam, que también ayudaba a su padre en las consultas. Era uno de los médicos más conocidos de la aljama, quizá después de Humer Tahuell, último representante de una gran estirpe de maestres. Ambos trabajaban en ocasiones para la corte del rey. Aunque las leyes prohibían a los cristianos utilizar los servicios de médicos judíos, con mucha frecuencia se incumplía esa ley, y más por los nobles y los reyes.

Sus familias vivían en casas contiguas dónde compartían el patio. El padre de Gabriel, además de la medicina, también ejercía la docencia en la cofradía *Talmud y Torah*. Las cofradías en la aljama de Valencia eran unas instituciones de caridad para los más necesitados. En concreto, en la que trabajaba Isach Gabriel, creada por la reina Violante hacía casi tres años, se dedicaba a la enseñanza de la gente sin recursos, pero existían otras con diferentes funciones. Por lo tanto, se podía decir que el padre de Gabriel y el abuelo de Samuel eran compañeros docentes, aunque en diferentes instituciones.

«No creo que haya mejor persona que Gabriel para que me ayude», pensó Samuel. Además, tenían la misma edad, se sentaban uno al lado del otro en la escuela, y lo que era más importante, vivían casi juntos, tan solo separados por un patio comunicado. Si alguna vez necesitaban reunirse, lo tenían muy fácil.

«Decisión tomada», pensó con determinación.

Hoy era domingo, pero para los judíos, a diferencia de los cristianos, era un día laborable. La festividad judía era el *shabat*, que se correspondía con el séptimo día de la semana en el calendario hebreo. Comprendía desde el *kidush* del viernes por la tarde hasta la *havdalah* del sábado por la noche. El *Talmud* prescribía las treinta y nueve actividades prohibidas, y en la aljama todos lo cumplían. En consecuencia, hoy, a pesar de ser domingo, día festivo para los cristianos, era lectivo para los niños y jóvenes judíos.

Cuando Samuel llegó, lo primero que hizo fue buscar con la vista a Gabriel, y se dirigió de inmediato hacia él.

—Hoy, cuando terminemos la escuela, quiero hablar contigo. Nos vemos en la Sinagoga Menor —le dijo Samuel a Gabriel, antes de entrar en la clase.

En la judería de Valencia existían tres sinagogas reconocidas, la Mayor, la Menor y la de Camalhecit. Las sinagogas no eran solo templos para la oración, también eran el núcleo de la vida docente, social y civil de la judería, de hecho, la escuela talmúdica del abuelo de Samuel estaba situada en una sala anexa a la Sinagoga Mayor. También servía de Tribunal de Justicia rabínico y de biblioteca, entre otras muchas cosas.

En la Corona de Aragón, las sinagogas no eran edificios monumentales como los templos cristianos, ya que existía una ley que prohibía que fueran mayores que ellos. En muchas ocasiones eran simples habitaciones dentro de viviendas de judíos adinerados. Para su habilitación como templos de oración necesitaban el permiso del obispo cristiano, por lo que también existía alguna sinagoga clandestina, que consistía en pequeñas dependencias para rezar, sin las autorizaciones pertinentes.

Gabriel no entendía a Samuel.

—¿En la Sinagoga Menor? ¿Por qué? Si ya estamos en una sinagoga, podemos hablar aquí.

—Hazme caso, en la puerta de la Sinagoga Menor. Quiero alejarme de la escuela —insistió Samuel.

—¿Para qué?

—No seas impaciente, ya lo sabrás.

—Bueno, lo que tú digas —contestó intrigado Gabriel.

Cuando terminaron la escuela, ambos se dirigieron por separado a la Sinagoga Menor, que estaba al lado del portal de Caballeros, a unos pocos minutos de la escuela. Llegó primero Gabriel. Al ver aparecer por la esquina a Samuel, de inmediato se dirigió a él.

—A ver, ¿qué es eso tan importante que tienes que contarme, que no puede hacerse en la escuela? —preguntó Gabriel, con evidente curiosidad.

—Nos reunimos aquí porque no quiero que nadie de la escuela nos oiga —dijo Samuel.

—Sí, sí, eso ya lo suponía, pero empieza a hablar —dijo Gabriel, que aún seguía intrigado con la actitud de Samuel.

A continuación, le contó todo acerca del grupo de los diez, o el Gran Consejo, como se hacían llamar ahora. Le relató las dos reuniones, los atuendos que vestían, incluso la conversación privada entre su abuelo y el anciano. También le habló del misterioso árbol. Gabriel lo escuchó sin interrumpirle ni una sola vez, con los ojos y los oídos bien abiertos.

Cuando Samuel concluyó su relato, Gabriel ya no se pudo aguantar.

—¡Qué emocionante! —dijo—. Oye, ¿por qué serás tan importante para ellos? —preguntó—. Es verdad que el nivel de tus estudios es muy superior al de todos los demás en la escuela, pero tan solo vas más avanzado. Al final todos estudiamos lo mismo y leemos los mismos libros. ¿O te enseñan algo diferente?

El *Talmud* establece que los niños judíos debían iniciarse en el estudio de las Escrituras a los cinco años, a partir de los diez la *Misnah* y a los trece los tratados de la *Gemurah*. Samuel había empezado a leer y memorizar los seis tratados de la *Misnah* antes de los ocho años y ya llevaba tiempo con la *Gemurah*. Gabriel acababa de empezar con el *Zeraim*, que era primer libro de la *Misnah*.

—No estudio nada misterioso, todo es bien conocido. Es cierto que mi abuelo me exige mucho más a mí que a vosotros, pero siempre he pensado que era porque soy su nieto, no por ninguna confabulación de ningún grupo secreto de encapuchados. Eso jamás se me había pasado por la cabeza.

—¿Qué querrá decir lo del árbol?

—No lo sé, pero debe ser algo importante.

—Parece que todo gira alrededor del número diez —dijo Gabriel, pensativo.

—Sí —contestó Samuel—. Lo que tengo muy claro es que hay que asistir a la próxima reunión del Gran Consejo, no nos lo podemos perder.

—¿Y cómo sabremos cuándo se celebrará?

—Eso es sencillo. Cuando vea a mi abuela sacar esa extraña capa que llevan todos puesta, entonces sabré que la reunión es esa misma noche y te avisaré.

—Todo esto es muy extraño y misterioso. Hay muchas cosas que no sabemos, pero las vamos a descubrir juntos —dijo con entusiasmo Gabriel.

Desde luego que había muchas cosas que ni remotamente se podían imaginar.

8 EN LA ACTUALIDAD, MARTES 1 DE MAYO POR LA TARDE

Rebeca había conseguido que todos los miembros del *Speaker's Club* estuvieran expectantes, pendientes de ella.

—Los dibujos que os voy a enseñar ahora son bastante antiguos, así que, antes de extenderlos encima de la mesa, quitad vuestras pintas de cerveza y limpiarla un poco, que parece una auténtica pocilga —dijo Rebeca.

Así lo hicieron y una vez despejada la mesa, Rebeca abrió la cremallera del portafolios que había traído con una lentitud estudiada.

—Venga, parece que lo hagas adrede, ábrelo de una vez —dijo Xavier, impaciente.

Rebeca sacó el sobre y desplegó los dibujos en la mesa.

Todos se quedaron en silencio por un momento.

—Es increíble, no puede ser —dijo Carmen, casi sin reaccionar, con los ojos abiertos como platos. Se quedó pálida de la impresión.

—Desde luego que puede ser Carmen, parecen muy antiguos —dijo Xavier.

—¿El sobre también te lo entregó la condesa? —preguntó Carmen.

—Sí —respondió Rebeca.

Carmen tomó el sobre en sus manos.

—Es reciente, diría que de finales del siglo pasado. No parece relevante ni tener nada que ver con los dibujos.

Rebeca se quedó mirándolo también.

—Supongo que la condesa lo tomaría de la mesa del conde, con el único objeto de guardar los dibujos.

—¿Ese árbol no os da un poco de miedo? Parece algo diabólico —dijo Fede.

—El director Fornell pretende que descifre lo que quieren decir estos dibujos y que escriba un artículo mañana mismo, como si de verdad tuviera una bola mágica guardada debajo de mi cama —dijo Rebeca.

—Debajo de tu cama no sé, pero desde luego te vendría muy bien. ¿Qué querrá decir ese dibujo? —dijo Charly señalando el de los círculos y las líneas—. Parece una constelación estelar o algo así, pero no me suena a ninguna de las más conocidas.

—O algo así, como tú dices. No tengo ni idea —contestó Rebeca.

—¡Carmen, que te has quedado con la boca abierta! Ciérrala, o tu baba caerá sobre los dibujos —bromeó Fede.

—Disculpad, en mi trabajo pasan muchos documentos por mis manos, pero jamás había visto nada parecido. Lo que está claro es que parecen auténticos y son antiguos de verdad, eso os lo puedo certificar —dijo una sorprendida Carmen, sin apartar la vista de los papeles.

—Si no son una constelación, quizá los círculos y las líneas sean un patrón matemático a base de letras. Al principio me había parecido una espiral de Fibonacci completada en círculo, pero eso es imposible —dijo Bonet.

—¿Fibonacci? ¿Ese quién es? Tiene nombre de futbolista italiano —dijo con su habitual sorna Charly.

—Era un matemático que vivió entre el siglo XII y XIII, pobre inculto —le contestó Bonet.

—¿Y esa especie de árbol con los números? Da algo de miedo —dijo Almu—. Como ha dicho antes Fede, parecen diabólicos.

—Ya has sacado a relucir al demonio, ya tardábamos —dijo Charly

—¡Charly! No bromees con esas cosas, además primero lo ha dicho Fede —le contestó Almu.

—¡Chicos, callaos! — Rebeca intentó poner algo de orden, antes de que la conversación degenerara hacia supuestos diablos legendarios.

—El primer dibujo tiene doce círculos con una letra unidos por líneas, y el árbol tiene once números dentro de once círculos —dijo Bonet—. Nada coincide desde un punto de vista matemático ni parece seguir ningún patrón lógico ni conocido. ¿Qué significarán las letras y los números?

—No lo sé —dijo Rebeca—, y lo peor es que no tengo ni la más remota idea de por dónde empezar.

—Sin duda por el principio, pero ¿cuál es el principio? —dijo chistoso Charly.

Carmen seguía observando los dibujos. Daba la impresión de estar muy lejos, por lo menos su mente.

9 27 DE SEPTIEMBRE DE 1390

Samuel estaba estudiando en su habitación, como todas las tardes a esa hora. Hoy le tocaba leer el *Nezikin*, que era el cuarto *seder* o libro de la *Misnah*, que estaba conformada por seis volúmenes. Concretamente estaba leyendo acerca de leyes civiles y mercantiles hebreas.

Se lo sabía de memoria al igual que el resto de libros de la *Misnah*, pero, aun así, disfrutaba releyéndolo. Además, su abuelo utilizaba estos mismos conceptos en muchas de las *responsa* que escribía, y a Samuel le encantaba leerlas y comprenderlas. En la educación talmúdica se le daba gran importancia a la memoria. Samuel iba sobrado de ella y de capacidad de comprensión.

De repente algo sonó en el piso inferior. Alguien estaba llamando a la puerta de su casa, Escuchó como su abuelo la abría.

«¡Qué raro!», pensó Samuel. «Mi abuelo no recibe visitas en casa, ya que toda su actividad la realiza en la Sinagoga Mayor y en la escuela».

Intentó seguir leyendo, pero su tremenda curiosidad le gritaba al oído «asómate a escuchar». Pronto claudicó, cerró el libro y se acercó hasta el salón, con todo el sigilo que pudo. Desde donde estaba no tenía visión directa, pero si podía escuchar lo que decían.

La conversación ya se había iniciado entre su abuelo y el extraño que había llegado a su casa.

—Isaac, ya sabes lo que hemos acordado, no puede haber vuelta atrás —dijo el desconocido.

—No te preocupes, lo único que necesito es algo de tiempo, ya lo sabes. Tengo que prepararlo todo, pero la decisión está tomada y no me arrepentiré. En eso puedes estar tranquilo —dijo su abuelo.

—Ya sé que no debe ser fácil traicionar a los tuyos, pero haces lo correcto. Sabes que es el único camino hacia la salvación y la vida.

—Lo sé, pero comprende que no es sencillo para una persona de mi posición.

—Además, también sabes que la nueva vida será mucho mejor.

—No me cabe ninguna duda, por eso lo he decidido.

—Haces lo que debes, Isaac —dijo el desconocido, en un tono conciliador.

—Lo sé, ya me tienes convencido, pero, como te he dicho antes, necesito algo más de tiempo.

—Volveré en breve, espero que para entonces ya esté todo dispuesto. No debemos demorarlo más, porque quizá sea demasiado tarde —dijo el desconocido, mientras su abuelo lo acompañaba a la puerta—. Ese tiempo que tú necesitas, quizá no lo tengamos. Ya sabes cómo se están complicando las cosas últimamente. Si la tensión continúa en aumento, ni yo mismo seré capaz de detener los acontecimientos.

Cuando la extraña visita abandonó su casa, el salón se quedó en silencio.

«¿Mi abuelo es un traidor? ¡No puede ser!», pensó Samuel, que se había quedado de piedra. «¿Qué querrá decir con la nueva vida?», se preguntó, angustiado.

Una lágrima hizo amago de caer por su mejilla.

No entendía nada de lo que había escuchado.

10 EN LA ACTUALIDAD, MARTES 1 DE MAYO POR LA NOCHE

Con todo el alboroto que se había formado en la reunión de hoy del *Speaker's Club*, Rebeca llegó a casa bastante tarde. Abrió la puerta intentando hacer el menor ruido posible, y se fue directamente a la cocina.

«Supongo que Joana y mi tía ya estarán durmiendo», pensó Rebeca. Era muy tarde.

—Creía que ya no te iba a ver hoy —escuchó Rebeca desde un rincón de la cocina.

Se sobresaltó.

—Ostras, Joana. No te había visto. ¿Qué haces despierta a estas horas?

—Tu tía me ha contado lo de esta mañana en el periódico, lo de la condesa, y me ha dejado bastante intrigada, así que no me podía acostar sin antes hablar contigo.

—Pues a mí me ha dejado muerta, tenemos un problema.

—Cuéntamelo todo, no te dejes nada. No tengo ninguna prisa y me sobra curiosidad.

Rebeca le puso al día de su reunión con la condesa sin dejarse ningún detalle. Cuando terminó el relato, entre las dos despejaron los restos de la cena de Joana de la mesa de la cocina y extendieron los dibujos. Después del chorro de adrenalina, ya le empezaba a afectar el cansancio acumulado de todo un día de emociones intensas. Rebeca estaba de bajón y se le notaba.

—Necesito tu ayuda, no sé cómo salir de este atolladero —casi suplicó Rebeca.

—No te preocupes, mi niña. Vamos a observar los papeles con detenimiento y seguro que sacamos alguna conclusión —

dijo Joana, para intentar animar a una Rebeca que veía abatida.

Joana giró su vista hacia los dibujos extendidos en la mesa. Los miró durante unos segundos sin pestañear y por un momento su rostro se trasmutó. Se quedó completamente pálida. El mármol blanco de la cocina tenía más color que la cara de Joana.

—Desde luego que tenemos un problema —dijo al fin, sin apartar su mirada de la mesa.

Rebeca se preocupó al ver la reacción de Joana. No se la esperaba. Si ella decía que tenían un problema, entonces lo tenían de verdad.

—Pero ¿los comprendes? —se atrevió a preguntar.

—Ese es el problema —contestó Joana de forma enigmática.

En realidad, no le había contestado.

II 27 DE SEPTIEMBRE DE 1390

Samuel no sabía qué hacer. La conversación que había escuchado le había dejado muy perturbado para seguir estudiando o leyendo, aunque lo estaba intentando.

«Tiene que haber alguna explicación», pensaba, pero al mismo tiempo las palabras «traicionar a los tuyos» resonaban en su mente con estrépito. «¡Y mi abuelo lo había admitido!». Además, la voz desconocida que Samuel había escuchado no era judía, hablaba como un cristiano, lo que le preocupaba aún más. Estaba muy confuso.

Suponía que todo tendría que ver con el Gran Consejo, parecía que su abuelo pretendía traicionar a sus compañeros, aunque no le encontraba ningún sentido.

Después de tardar más de treinta años en traer un árbol o lo que quisiera decir esa expresión, no podía creer que su abuelo estuviera dispuesto a tirar por la borda todo ese trabajo, traicionando a sus compañeros mediante un trato con un cristiano. Cuando más lo pensaba, menos lo entendía. Su abuelo no era un judío cualquiera, era el rabino de la ciudad y una gran autoridad talmúdica. Gozaba de gran prestigio. Además, Samuel consideraba que su abuelo era la persona con principios más firmes y determinados que había conocido, y no le cuadraba en absoluto que pudiera ser un traidor.

«Algo se me escapa, me falta información. Debo estar más atento a mi alrededor», pensaba.

Consideró si debía consultarlo con su amigo Gabriel, pero lo descartó de inmediato. En ningún caso podía confesarle que su abuelo quizá fuera un traidor. No se atrevía. En realidad, por otra parte, tampoco se lo podía creer. Tenía que existir otra explicación.

Esa noche no pudo dormir, por más que lo intentó.

Su mente estaba en plena ebullición.

EN LA ACTUALIDAD, MIÉRCOLES 2 DE MAYO POR LA MAÑANA

Rebeca no recordaba la hora a la que se había dormido, pero desde luego debió ser muy tarde. Eran las siete de la mañana, estaba sonando el despertador y no tenía ánimos ni para apagarlo. Al final se armó de fuerzas, le pegó un manotazo, y aprovechando el impulso, se levantó de la cama.

«Menuda mierda de día que hace», pensó, mientras miraba por la ventana. «Perfecto para escribir un artículo de mierda».

Efectivamente, hoy era el día que le tenía que entregar el artículo al director Fornell. No se lo podía quitar de la cabeza ni por un momento.

«¿Y qué mierda voy a escribir?»

Rebeca siempre se solía levantar de buen humor, pero desde luego hoy no era un día de esos. «Hoy me he levantado escatológica», pensó, intentando animarse. «Me voy al baño», se dijo.

Se puso las zapatillas, salió de su habitación y fue al cuarto de baño. Se miró al espejo y ¡qué horror! Su tía solía decirle que era una chica muy guapa al estilo Taylor Swift, pero hoy no la veía por ningún sitio. «Hoy sí que me parezco a Eduard Punset», bromeó. «Bueno, supongo que es lo que hay en un día de mierda», se dijo a sí misma.

Salió del baño y se fue hacia la cocina. Para su sorpresa, estaba impecable, toda perfectamente arreglada y limpia.

«Caramba, así no fue como la dejamos Joana y yo anoche. Supongo que mi tía se ha levantado antes que nosotras», pensó Rebeca, con una pereza inmensa.

Abrió la nevera y se sirvió un vaso de leche bien fría, que era lo que acostumbraba a desayunar todas las mañanas. Le sentaba fatal el café, y además no le gustaba. Habitualmente no necesitaba la cafeína para despejarse, pero, desde luego, hoy le hubiera venido muy bien.

—Buenos días, Rebeca —dijo su tía, entrando en la cocina.

—Buenos días, tía. Pensaba que ya te habías ido, como he visto que has arreglado la cocina...

—No he sido yo, ha sido Joana. Esta mañana se ha levantado antes de las seis y se ha marchado. Supongo que tendrá algo importante en la Facultad.

«¿Antes de las seis?», pensó sorprendida Rebeca. No recordaba que le hubiera dicho nada ayer. Supuso que, como la había machacado con sus problemas, seguramente ni la habría dejado hablar.

Rebeca volvió a su habitación, se vistió y salió a la calle. Por si no fuera suficiente con el dichoso artículo, hoy tenía dos horas de clase a primera hora en la Facultad y no podía faltar. Además, con el día tan malo que había salido, no se atrevió a coger la bicicleta, así que se encaminó hacia la parada del autobús.

Llegó a la Facultad de Historia, preguntó por Joana a una compañera de su departamento, y le dijo que nadie la había visto esa mañana. Apagó el móvil y entró en clase, sin poder quitarse de la cabeza que en un par de horas tenía que estar en *La Crónica*, con el aliento del director Fornell en su nuca, reclamándole el artículo. «¡Qué imagen más desagradable!», pensó.

«Lo bueno de un día tan malo es que ya no puede ir a peor», se dijo, intentando animarse.

Las cosas siempre pueden ir a peor.

13 14 DE OCTUBRE DE 1390

Samuel se levantó esa mañana con más sueño del habitual. Últimamente le costaba dormir. Acostado en su cama, no podía evitar que su cabeza se pusiese a dar vueltas pensando en complicadas teorías que pudieran justificar la supuesta traición de su abuelo. La última tenía hasta dragones de por medio. Debía tranquilizarse, si no lo hacía, su abuelo se podría dar cuenta y era lo último que deseaba, tener que darle explicaciones de algo que no comprendía.

Entró en el salón y su corazón le dio un vuelco. Su abuela estaba preparando la capa negra.

«¡Esta noche hay reunión del Gran Consejo!», pensó emocionado.

Se le olvidaron de golpe todas sus preocupaciones. Se vistió y se fue a la escuela. Lo primero que hizo nada más llegar fue buscar a su amigo Gabriel.

—¡Esta noche! —le dijo Samuel de sopetón, en cuanto lo vio.

—Esta noche, ¿qué? —le contestó extrañado Gabriel.

—Esta noche se reúne el Gran Consejo, mi abuela está preparando la capa —le respondió, completamente excitado.

Gabriel se contagió de la emoción. Desde que, hacía unos meses, Samuel le contara todo acerca del Gran Consejo de los diez, esperaba con ansia el día en que pudiera asistir a una de esas reuniones clandestinas en la medianoche, en la penumbra de la Sinagoga Mayor.

—¿Y qué vamos a hacer? —preguntó Gabriel.

—Esta vez tendré que organizarlo algo mejor que la última vez. Faltó muy poco para que mi abuelo descubriera el lugar de mi escondite —dijo Samuel, recordando lo mal que lo pasó, pensando que lo habían descubierto.

—Deberíamos llegar antes que ellos. Así podríamos escondernos con más tranquilidad y escoger el lugar más adecuado.

—Tienes razón. Nos vemos un poco antes de la medianoche en la esquina de la carnicería.

—¡Hecho! Acudiremos por separado, para llamar menos la atención si nos cruzamos con alguien a esas horas.

Samuel se quedó pensativo. No podía evitar recordar la conversación de su abuelo con aquel cristiano en su casa. «¿Y si esta noche traiciona al Gran Consejo?», pensó Samuel. No le había contado nada a Gabriel. Esperaba que no lo estuviera poniendo en peligro, jamás se podría perdonar si le sucediera algo malo a su amigo.

Estaba preocupado de verdad.

14 EN LA ACTUALIDAD, MIÉRCOLES 2 DE MAYO POR LA MAÑANA

Rebeca llegó al periódico pasadas las diez y media. Entró lo más sigilosa que pudo. «¿Qué hago haciendo el tonto? No me voy a escapar de escribir el dichoso *articulito* porque no haga ruido», pensó, mientras se sentaba en su mesa. Además, el director Fornell tenía ojos y oídos hasta en el cogote.

Efectivamente, no había puesto todavía el culo en su silla, cuando vio aproximarse a su secretaria.

—Rebeca, te llama el señor director a su despacho, es urgente —gritó Alba, por encima de las catorce mesas y sus correspondientes cabezas que se amontonaban en la sala.

«¿Pero esto no pasó ayer?», pensó inmediatamente Rebeca, que por un momento le pareció estar viviendo un *déjà-vu* de esos. No, desde luego estaba claro que pasaba hoy. Seguramente el señor director estaba más nervioso que ella.

«Se va a convertir en una molesta costumbre empezar la jornada laboral en su despacho», se dijo Rebeca.

Recorrió el pasillo como ya había hecho ayer, llamó a la puerta y entró.

El director Fornell estaba de los nervios.

—¿Dónde te has metido?, llevo toda la mañana intentando localizarte —bramó desde detrás de su mesa.

Rebeca miró su móvil. Lo había apagado al llegar a la Facultad y no lo había vuelto a encender. Se le había olvidado.

—Disculpe, señor Fornell, lo había desconectado y... —empezó a disculparse Rebeca.

—¿No te has enterado? —le cortó el director, impaciente.

—¿No me he enterado de qué?

—¡La condesa! —gritó.

—¿Qué pasa con la condesa? —preguntó algo mosqueada Rebeca.

—¡La han asesinado! —chilló el director, que parecía fuera de sí.

—¿Qué? —Rebeca se quedó pálida—. No puede ser, si estuvo ayer mismo aquí y... —dijo con un hilo de voz.

—Encontraron su cuerpo ayer por la noche —la interrumpió el director Fornell—. Seguramente, después de visitarnos volvería a su palacio, y poco después fue asaltada. Según he podido conocer, su cadáver estaba en el despacho de su difunto marido y las dos cajas fuertes estaban abiertas y completamente vacías.

Rebeca estaba descompuesta. El director continuó hablando.

—Ahora sí que no esperamos más. Vamos a sacar una edición especial con la noticia del asesinato en la portada y quiero tu artículo en ella. Imagínate, la condesa es asesinada después de visitar *La Crónica* y revelar su secreto centenario —dijo, entre nervioso y emocionado.

Rebeca estaba aturdida.

—Director Fornell... —no le salían las palabras.

—Es una noticia que va a relanzar *La Crónica* en toda España, ¡qué digo! en toda Europa también. La condesa era una celebridad fuera de nuestras fronteras.

Fornell seguía con su discurso, frotándose las manos, ajeno por completo a las palabras de Rebeca.

—Director, sabe que la condesa no nos reveló ningún secreto centenario.

—¿Cómo qué no? Tenemos unos papeles secretos que parecen bastante antiguos.

—En realidad son unos dibujos que no tenemos ni idea qué significan. Además ¿no se ha parado a pensar que quizá el motivo del asesinato de la condesa sean precisamente los papeles que nos entregó y que tengo yo? —se atrevió a decir Rebeca.

—Pues mucho mejor para nuestra historia —espetó el director—. Eso le da credibilidad.

Rebeca ya no sabía qué decir. No se podía creer que la condesa pudiera estar muerta, y menos después de la visita de ayer. Iba a continuar objetando, pero, de repente, la puerta del despacho se abrió y entró Alba.

—Señor director, hay dos personas que preguntan por usted. Dicen que son del Grupo de Homicidios de la Policía Nacional —dijo con su voz monótona habitual, como si preguntara «¿quiere un café?»

Fornell se levantó de un salto de su silla y se dirigió hacia la puerta.

—Adelante, pasen, pasen —dijo, extrañamente obsequioso.

Entraron una mujer y un hombre, ambos de complexión atlética y vestidos de particular. «No parecen policías», pensó Rebeca, «pero tampoco lo parece mi tía y es comisaria».

Antes de tomar asiento, empezaron a hablar en un tono muy educado.

—Buenos días, soy la inspectora Cabrelles y mi compañero es el inspector Rodrigo, del Grupo de Homicidios de la Policía Nacional—. Con un gesto ambos enseñaron sus carteras con la identificación.

—Buenos días. Yo soy Bernat Fornell, director del periódico, y ella es Rebeca Mercader, una colaboradora nuestra —dijo el director—. No se queden de pie, pueden tomar asiento.

—¿Rebeca Mercader? ¿Tu tía es la comisaria Rivera? —pregunto la inspectora Cabrelles, mientras se acomodaban en las sillas.

—Sí —contestó escuetamente Rebeca.

Los policías intercambiaron miradas.

—Bueno, supongo que ya sabrán o supondrán el motivo de nuestra visita. La condesa de Dalmau fue encontrada muerta en su domicilio anoche. Hemos tenido conocimiento que les visitó ayer mismo por la mañana —dijo el inspector Rodrigo.

—Así es. Llegó pronto, sobre las nueve de la mañana —contestó el director.

—¿Cuánto tiempo estuvo la condesa en la redacción? —preguntó la inspectora.

—No mucho, apenas unos veinte minutos. Aunque no miré el reloj, calculo que se iría entre las nueve y veinte y las nueve y veinticinco —contestó el director.

—¿Por qué motivo los visitó?

—Nos dijo que estaba en Valencia por cuestiones relacionadas con la herencia de su difunto marido, en concreto nos contó que estaba haciendo un inventario de bienes para Hacienda. Nos mostró unos dibujos antiguos que había encontrado en una caja fuerte en el despacho del señor conde —explicó el director.

—¿Por qué les mostró la condesa esos dibujos a ustedes precisamente? —inquirió la inspectora.

—Resulta que se trataban de unos papeles que parecían antiguos, conteniendo una especie de acertijo que no comprendía. La condesa era lectora habitual de nuestro periódico y pensó que Rebeca los podría descifrar.

—¿Y por qué pensó eso? —preguntó el inspector, un tanto extrañada.

—Porque Rebeca Mercader es el verdadero nombre de la Gran Atenea, seudónimo bajo el que escribe la sección de historia de este periódico — respondió el director.

—¿Y lo hizo? ¿Resolvió su significado? —preguntó la inspectora.

—No —contestó Rebeca—. No tengo ni idea qué significan.

—¿Les dejó una copia de esos dibujos? —preguntó la inspectora.

—No —contestó de inmediato el director.

Rebeca se revolvió en su silla. «¿No pensará ocultarles que tengo yo los papeles de la condesa?», pensó espantada. «Puedo poner a mi tía en un compromiso».

El director Fornell continuó hablando.

—No le entregó a Rebeca una copia, sino los originales. Dijo que iba a estar unos días en Valencia, y que ya hablaríamos antes de que retornara a su residencia, en Portugal.

Rebeca respiró visiblemente aliviada.

—¿Podemos verlos? —preguntó la inspectora Cabrelles.

Rebeca abrió su portafolios y sacó los dibujos. Los extendió en la mesa del director. Los inspectores se quedaron mirándolos durante un momento. La inspectora Cabrelles abrió su maletín, sacó un sobre grande trasparente y se puso unos guantes de látex.

—Señorita Mercader, comprenda que tendremos que llevarnos estos papeles. Aún no sabemos si pueden tener alguna relación con el caso —dijo, mientras los introducía con cuidado en el sobre.

—No, no me importa —respondió Rebeca, con un pequeño gesto de fastidio.

—¿Les dijo la señora condesa algo que les hiciera suponer que estaba en peligro? —preguntó el inspector.

—No, absolutamente nada —respondió el director—. Ya les he comentado que estuvo muy poco tiempo.

—¿Hay alguna cuestión que consideran importante que sepamos?

El director Fornell se quedó pensativo durante un segundo.

—La verdad es que no, ninguna.

—A mí tampoco se me ocurre nada. Por cierto, ¿tienen algún sospechoso? —preguntó Rebeca, con cierta curiosidad.

—La juez de guardia ha decretado el secreto del sumario, así que comprenderán que no podamos compartir nada. Por el mismo motivo les rogaríamos que informaran de la muerte de la señora condesa, pero sin mencionar para nada estos dibujos ni el resto de detalles de su visita a la redacción de su periódico. No queremos que trascienda más información de la estrictamente necesaria —dijo el inspector.

—Pero... —intentó protestar el director.

—Sabemos que tienen una historia periodística, pero en estos momentos de la investigación aún no sabemos nada. Hemos de esperar a que terminen su trabajo nuestros compañeros de la Policía Científica y, sobre todo, hemos de esperar a la autopsia del cadáver. Entiendan que no debemos precipitarnos ni dar nada por supuesto. Ya saben que las primeras horas son fundamentales en cualquier investigación —dijo la inspectora, con una voz muy formal.

El director no parecía nada conforme con todo aquello.

—Me están robando una noticia —dijo, con un claro gesto de enojo en su rostro. Por un momento pareció que se iba a abalanzar contra los policías.

—Señor Fornell, no le estamos robando nada, simplemente estamos haciendo nuestro trabajo y cumpliendo con nuestra obligación —dijo con toda la amabilidad que pudo el inspector Rodrigo—. Comprenda que lo más importante, ahora mismo, es la investigación. Si la señora condesa ha sido asaltada y asesinada en su palacio, la prioridad es encontrar a los culpables. Creo que lo entiende.

—Está bien, pero al menos cuando se levante el secreto del sumario, podrían tener algún detalle con nosotros —dijo fastidiado el director. Le acababan de quitar de la boca su caramelito, su gran exclusiva.

—Entenderán que no podamos comprometernos. Si se les ocurre algo que pueda ayudar a la investigación, por favor, no duden en llamarnos —dijo la inspectora Cabrelles, entregando al director y a Rebeca una pequeña tarjeta a cada uno.

Los inspectores se despidieron y salieron por la puerta del despacho.

—¡Menudo fastidio! Para una vez que tenemos una buena exclusiva, se presentan dos *robocops* programados para incordiar y nos secuestran la información que íbamos a publicar mañana mismo —dijo Fornell.

—Director, sabe que debemos hacerles caso.

—¡No los defiendas! Nosotros debemos colaborar con ellos, pero ellos no con nosotros. No me parece una relación equilibrada.

—Señor Fornell, ellos son la Policía y nosotros no. Hay una pequeña diferencia en nuestra contra.

—Sí, claro, pero no es justo. ¿Dónde está la libertad de información?

«En el fondo del mar», pensó Rebeca, con un ligero gesto de diversión en su rostro.

Sabía que no estaba bien porque había fallecido una persona, pero en lo más profundo sintió un pequeño alivio. Ya no tenía los dibujos en su poder y no tendría que escribir ese dichoso artículo que le quitaba el sueño. El director Fornell, por fin, la dejaría en paz.

Volvía a la bendita normalidad.

Al menos, eso esperaba.

15 14 DE OCTUBRE DE 1390

Antes de la medianoche, tal y como habían quedado, se vieron Samuel y Gabriel en la puerta de la carnicería, enfrente de la Sinagoga Mayor. La excitación se notaba en sus gestos y en sus voces. Para ellos era toda una aventura.

—¿Estás preparado? —preguntó Samuel.

—No lo sé, pero vamos a entrar en la sinagoga antes de que empiecen a llegar los encapuchados, no quiero que nos sorprendan antes de ocultarnos. Aunque parezca tan solo nervioso, en realidad estoy histérico —dijo Gabriel, con cierto temor.

Caminaron hasta la puerta, cruzaron el patio y penetraron en el salón central de la sinagoga. Estaba en completa penumbra, tan solo débilmente iluminada por la luz procedente de la *ner tamid*, la pequeña lámpara de fuego que simbolizaba la llama eterna. Esperaron que sus ojos se acostumbraran a la débil iluminación.

—¿Dónde nos escondemos? —preguntó Gabriel.

Miraron a su alrededor. No había muchos sitios dónde ocultarse. La última vez, los diez encapuchados se habían sentado en los primeros bancos, así que su interés se centró en la parte trasera.

—¿Detrás de las columnas?

—No. Si se levantan y pasean estaremos expuestos —respondió Samuel—. Allí no hay dónde ocultarse.

—Me parece que el mejor sitio que veo es detrás de los últimos asientos. Están lejos de la llama eterna y es la zona más oscura.

—Ese es el lugar dónde siempre me he escondido, pero tienes razón, al menos estamos cubiertos por los dos lados. Esta vez pongámonos en el otro extremo, tendremos menos visión, pero también será más difícil que nos descubran. La última vez ya me llevé un buen susto y no me gustaría repetirlo.

La planta del salón principal de la Sinagoga Mayor de Valencia era rectangular. A los lados había dos pasillos, separados del resto de la estancia por unas columnas. En el centro de salón se situaba el pupitre de lectura o atril, ligeramente sobreelevado mediante una pequeña plataforma, que hacía las veces de altar. Alrededor de este pupitre se situaban los asientos. En la sinagoga de Valencia, estos asientos estaban reservados. Cada persona tenía su sitio en propiedad, hasta el punto que se heredaban de padres a hijos. Tener un buen lugar en la sinagoga era un símbolo de posición social dentro de la aljama.

Al fondo, en la pared cuya orientación coincidía con la de Jerusalén, se encontraba la hornacina dónde se guardaban los rollos de la *Torah* y los distintos libros sagrados que se utilizaban en las liturgias y en los rezos.

Los dos amigos se dirigieron a la penúltima fila de asientos en el salón principal de la sinagoga, los más alejados de la llama eterna, se agacharon y se quedaron esperando. Desde el punto dónde estaban escondidos no tenían visión directa sobre la puerta, pero escucharon con claridad los pasos de diferentes personas entrando en la sinagoga, casi en completo silencio.

—Estemos preparados por si acaso, la última vez mi abuelo y otro encapuchado se acercaron hablando —susurró Samuel.

—¿Y cómo nos preparamos? —preguntó nervioso Gabriel.

«Buena pregunta», pensó Samuel sin decir nada. No tenía respuesta.

El silencio absoluto reinaba en la sinagoga. Gabriel podía escuchar los latidos de su corazón. Samuel tenía los ojos cerrados, intentando oír cada pequeño detalle.

Desde hacía un momento ya no se escuchaba a nadie más entrar en la sinagoga, igual ya habían llegado los diez.

De repente, se rompió el silencio.

—Bienvenidos todos a esta nueva reunión del Gran Consejo, soy el número dos y vuestro anfitrión. Disculpad la premura de esta convocatoria, pero están llegando noticias muy preocupantes desde diferentes lugares. Ahora nos explicará la situación con más detalle el número uno —dijo el abuelo de Samuel.

—Soy el número uno, gracias por acudir a esta reunión. Todos sabíamos que los acontecimientos se iban a precipitar, por eso constituimos el Gran Consejo en la aljama de Valencia, pero lo que no esperábamos es que todo fuera tan rápido —dijo el anciano, cuyo tono de voz denotaba clara preocupación—. Como sabéis, hace poco conocimos la noticia del fallecimiento del arzobispo de Sevilla, Pedro Gómez Barroso y, en consecuencia, la sede de Sevilla ha quedado vacante. El arcediano de Écija, Ferrand Martínez, que también conocéis que tiene odio a todos los judíos y lleva años lanzando proclamas violentas contra nuestro pueblo, está actuando como provisor General. Ha aprovechado la muerte del arzobispo y ha tomado el control de los cristianos de Sevilla y alrededores. En sus sermones, desde su púlpito, habla con gran odio acerca de matar judíos.

—¿Y cómo se lo permiten? —oyeron preguntar a una voz.

—Lo malo es que sus palabras están teniendo un trágico efecto. En las aljamas de Sevilla y Córdoba ha habido varias muertes violentas, además, ni siquiera han sido investigadas. Se apedrea y humilla a miembros de nuestra comunidad de forma constante. Cada día que pasa la situación empeora. Empezamos a no estar seguros ni en nuestras propias aljamas —dijo con voz muy preocupada el anciano.

—Soy el número seis. A Ferrand Martínez lo tenemos controlado. El rey Juan, los nobles, los alcaldes y el alguacil mayor de Sevilla, entre otros, nos protegerán. No en vano nos cuesta una pequeña fortuna mantener su fidelidad.

—¿Controlado? —preguntó otra voz que no se identificó—. Lleva catorce años predicando contra nosotros, pero su profundo odio hacia el pueblo hebreo parece más descontrolado que nunca. Sus seguidores empiezan a ser conocidos como matadores de judíos. Ahora no hay arzobispo en Sevilla y tiene, en su púlpito, un magnífico altavoz. Tenemos que reconocer que, a pesar de los esfuerzos de los nobles que nos apoyan, el pueblo llano cristiano le escucha y sigue sus consignas casi al pie de la letra.

—Soy el número siete. Me temo que llegará un momento en que nuestro dinero sea insuficiente. Hoy mismo nos han llegado rumores de que el rey de Castilla, Juan I, se ha caído de su caballo en las puertas de las murallas de Alcalá y está muy enfermo, según han escuchado decir al propio obispo de Toledo, Pedro Tenorio. Siempre ha estado muy delicado de salud. Como sabéis tenemos a maestres médicos de nuestra comunidad cuidando de su salud, pero esta vez el obispo no ha permitido que lo visitaran. Si acaba falleciendo, se pueden dar dos escenarios posibles. El primero, que suba al trono su hijo Enrique, que apenas tiene once años de edad. El segundo es que los nobles castellanos no lo acepten y se produzca un conflicto. Ambas situaciones serían muy delicadas —estaba diciendo una voz de mujer—, sobre todo la primera, porque se produciría un vacío de poder. Podría ser desastroso para nuestro pueblo.

«¡Una mujer!», casi se le escapa en voz alta a Samuel, absolutamente sorprendido. «¡Pero si en los consejos no hay mujeres!», pensó.

Claro, debajo de esas capas tan amplias con esas capuchas podían ocultarse tanto hombres como mujeres, no había manera de distinguirlos, pero esto era algo completamente insólito.

Samuel era consciente de que la sociedad judía era eminentemente patriarcal, a semejanza de la cristiana. No obstante, las mujeres en las aljamas judías tenían un papel importante, pero no participaban de los organismos públicos de deliberación y decisión, ni siquiera asistían a la escuela. Su labor era destacada en la divulgación y práctica de la *Torah* en el ámbito doméstico, y en la educación de sus hijos, trasmitiéndoles las tradiciones hebreas. Aunque en menor medida, también ejercían oficios artesanales o incluso profesiones liberales al igual que los hombres, sobre todo prestamistas y médicos o matronas, «pero jamás participaban en los consejos», pensó.

En materia religiosa, en las sinagogas, también existía separación física entre hombres y mujeres. Jamás compartían el mismo espacio. Incluso en la aljama de Valencia se había creado hacía unos meses una sinagoga de uso exclusivo para mujeres, que contaba con su propio rabino, llamado Rabbi Astruc. Era algo completamente inusual que una mujer estuviera presente en la Sinagoga Mayor y, todavía más, que perteneciera a un consejo judío.

Desde luego ninguno de los presentes pareció sorprenderse porque hablara una mujer. Igual hasta había alguna más en el Gran Consejo, con esas grandes capas no había manera de saberlo.

Samuel se giró hacia Gabriel para ver qué le había parecido la intervención de la mujer, y lo vio con los ojos abiertos como platos. No reaccionaba, casi parecía que no respiraba.

—Gabriel, ¿qué te ocurre? ¿Estás bien? —susurró—. Yo también me he sorprendido mucho de oír a una mujer, pero tampoco es tan grave como para que se te quede esa cara de mármol —continuó Samuel, intentando quitar hierro a la situación, viendo el rostro aterrorizado de su amigo. Quería tranquilizarlo y que no le montara ningún numerito.

—¿Qué no es tan grave? —acertó a preguntar a duras penas Gabriel—. Te aseguro que lo es. He reconocido la voz de esa mujer.

Samuel se le quedó mirando con curiosidad. Su cara era la viva imagen del pánico.

—¿Y se puede saber quién es?

— Es mi madre.

16 EN LA ACTUALIDAD, MIÉRCOLES 2 DE MAYO A MEDIODÍA

Rebeca llegó a casa abatida. No se podía creer lo que había escuchado en el periódico. Su tía Tote la estaba esperando con gesto de preocupación.

—¿Qué ha pasado, Rebeca? Me ha mandado un mensaje la inspectora Cabrelles diciéndome que había estado hablando contigo esta mañana.

—Así es. Ha venido al periódico, junto con otro compañero de su departamento.

—¿El inspector Rodrigo?

—Sí, creo que se llamaba así.

—Son dos de los mejores inspectores del Grupo de Homicidios. ¿Y qué querían? Supongo que sería algo importante si los han enviado a ellos. Cabrelles no me lo ha dicho en el mensaje.

—Han encontrado muerta a la condesa de Dalmau en su palacio —dijo Rebeca, con gesto de evidente cansancio.

Tote se sobresaltó.

—¿No me digas? ¿Qué le ha pasado?

—Aún no saben gran cosa, parece que la han matado en su palacio, después de cometer un robo.

—¡Qué me dices! No sabía nada, he estado toda la mañana en un cursillo y no me he pasado por la comisaría— ¿Cómo estás? —le preguntó su tía a Rebeca, algo preocupada al ver la cara descompuesta de su sobrina.

—Aún estoy en estado de *shock,* conmocionada. Resulta desconcertante saber que lo último que hizo la condesa en vida, aparentemente, fue hablar conmigo.

—¿Te trataron bien?

—Sí, fueron muy educados, aunque al director Fornell no le hiciera ninguna gracia que nos confiscaran los dibujos que me entregó la condesa.

—¿Quieres que haga algo, que hable con alguien? —se ofreció Tote, al ver a su sobrina con esa cara—. ¿Eran importantes esos papeles para ti?

—Casi agradezco que se los hayan llevado. Gracias tía, no creo que necesite tu ayuda, al menos de momento.

Rebeca se dirigió a la cocina, se preparó un *sándwich* de jamón y queso *cheddar* y se sirvió un buen vaso de leche fresca. Esa era su comida oficial cuando estaba desganada, como le ocurría en este momento.

—Ahora mismo lo que siento es cansancio. Ayer no dormí demasiado. Cuando llegué a casa me quedé hablando un rato con Joana y luego me desvelé —dijo Rebeca—. Por cierto, tía, ¿sabes algo de ella? Esta mañana he estado en la Facultad y nadie la había visto.

—Justo desde esta mañana no sé nada ni ha venido a comer —contestó Tote—. Supongo que andará ocupada.

«Supongo», pensó Rebeca.

Estaba cansada de verdad. No acostumbraba a echarse la siesta. Tan solo se tumbaba cuando el día anterior había salido de fiesta, pero hoy le apetecía descansar. Se dirigió a su habitación y se acostó. Se quedó dormida casi antes de que su cuerpo tocara la cama.

No miró ni el móvil.

Mayionam, la madre de Gabriel, era matrona y ayudaba a su padre, Isach Gabriel, que ejercía la medicina. En los periodos de ausencia de su marido, que, en ocasiones, prestaba sus servicios para la corte del rey cristiano, Mayionam se hacía cargo de sus pacientes. Así que, aunque sin licencia de *maestre*, se podía decir que también era médico. La aljama de Valencia hacía la vista gorda porque era una excelente profesional y la necesitaban.

—¿Tu madre es miembro del Gran Consejo? —susurró excitado Samuel— ¡Es algo extraordinario!

—¿Tú crees? Ahora estoy todavía más asustado que antes, que ya es decir —exclamó Gabriel, casi temblando.

—Vamos a seguir escuchando, que nos perdemos la reunión del Gran Consejo —susurró Samuel.

Volvieron a prestar atención.

—Cada vez los cristianos mantienen una actitud más agresiva. Nuestros protectores cada vez piden más dinero para garantizar nuestra seguridad. Tiene razón el número siete, no sé qué pasará si fallece el rey cristiano y sube al trono su hijo menor, además teniendo en cuenta que la sede arzobispal de Sevilla está vacante —estaba diciendo una voz.

Mientras habían estado hablando Samuel y Gabriel, parece que se habían perdido una parte de la conversación.

—Desde luego nada bueno —dijo la madre de Gabriel.

Se hizo el silencio.

—Todos los que estamos aquí somos los elegidos de nuestro pueblo, no olvidemos que somos el Gran Consejo de los diez. Hace más de treinta años que empezamos los preparativos del traslado. Ahora, por fin, estamos todos juntos y hemos depositado el árbol en un sitio seguro. Así tiene que seguir.

Tenemos una gran responsabilidad, los profetas nos observan —dijo solemnemente el número uno.

—Todos hemos hecho muchos sacrificios personales desde hace años. Cada uno de nosotros sabía qué riesgo corría cuando empezamos —continuó el número uno.

—A pesar de las tormentas que nos acechan, hoy tenemos más determinación que al principio. Nada nos tiene que sorprender, ya sabíamos que no iba a ser fácil.

—En realidad, nada lo ha sido estos últimos treinta años, pero aquí estamos, todos unidos y preparados para lo que tenga que venir. Unidos, con fuerza, valor y determinación.

—¿Cuándo pasaremos a la segunda fase? —preguntó la voz del joven encapuchado.

—Aún no ha llegado ese momento. Esperaremos y veremos cómo se desarrollan los acontecimientos —contestó el abuelo de Samuel—. Debemos de ser prudentes, siempre estamos a tiempo para ello.

—El plan continuará de acuerdo con lo previsto. Si hay novedades con la salud del rey cristiano de Castilla os volveremos a convocar. Nuestros médicos nos informarán —dijo el número uno, dando por concluida la reunión.

Todos los miembros del Gran Consejo fueron abandonando la sinagoga, hasta que se hizo el silencio total.

Samuel y Gabriel permanecieron inmóviles en su escondite. Se habían quedado sin palabras.

—Tu madre y mi abuelo son miembros del Gran Consejo —dijo al fin Samuel, medio emocionado.

—Eso es lo que me preocupa —dijo al fin Gabriel— ¿Lo sabrá mi padre? Lo dudo mucho, jamás he escuchado hablar de ello a mi madre.

Samuel tenía un gesto de inquietud en su rostro.

—¿Tan mala es la situación de nuestro pueblo? Oyendo al Gran Consejo, da la impresión de que algo terrible está a punto de suceder, aunque, en nuestra aljama, la situación no parece tan preocupante.

—He escuchado que fuera de la judería ha habido alguna agresión. También supongo que conoces las luchas internas por el control del poder en la aljama, entre las familias Tahuell, Suxén, Xucrán, Abnayub y alguna más. Incluso en ocasiones ha tenido que intervenir el rey para poner paz.

¿Sabes que se atrevieron a quemar la casa del gran médico Tahuell? —dijo Gabriel.

—¿No me digas? —preguntó preocupado Samuel.

—Los ricos de la judería se creen con privilegios especiales sobre los pobres y eso no puede ser. Tampoco nos podemos olvidar de la eterna extorsión del *bayle general* del reino y su secretario, que cada vez demandan más impuestos para la corona. Muchos miembros de nuestra comunidad no los pueden pagar y sus propiedades son embargadas de forma arbitraria. Pero a pesar de todo ello, y aunque la situación sea delicada, no parece tan grave como lo que hemos escuchado en el Gran Consejo —concluyó su reflexión Gabriel.

—¿Cómo puedes tener tanta información? Yo no sé nada de todo eso —contestó algo sorprendido Samuel.

—No te olvides que mi padre es médico en la corte del rey cristiano. Somos protegidos de la reina, que tiene bajo su control personal la aljama de Valencia. En mi familia nos enteramos de muchas cosas.

—¿Y qué significará eso de pasar a la segunda fase? ¿Qué más sorpresas nos esperan?

—Ni idea —respondió Gabriel—. Yo ya he tenido suficientes por hoy.

Por hoy, quizá sí.

18 EN LA ACTUALIDAD, MIÉRCOLES 2 DE MAYO POR LA TARDE

Rebeca se despertó desorientada, sin saber exactamente qué hora era. Cogió el móvil de encima de su mesita de noche.

—¡Las seis y cuarto! He dormido casi tres horas —se dijo Rebeca. El móvil parecía un árbol de Navidad, lleno de mensajes sin leer y llamadas sin atender.

—¿Por dónde empiezo? —pensó Rebeca, invadida por una inmensa pereza.

«¿A las siete, reunión del *Speaker's Club*?», leyó Rebeca, «pero si faltan cuarenta y cinco minutos, no voy a llegar», pensó apurada.

Saltó de la cama, se vistió con unos vaqueros y la primera camiseta que encontró en el armario. Salió de la habitación y buscó a Joana por la casa.

Ni rastro.

Miró otra vez el móvil, ni una sola llamada ni mensaje de ella. Salió de casa, cogió la bicicleta y se dirigió a toda velocidad al *pub* Kilkenny's.

Llegó veinte minutos tarde. Ya estaban todos sus amigos sentados.

—Hola, chicas y chicos, perdonad el retraso, pero hace apenas cuarenta y cinco minutos que me he enterado que hoy había reunión —dijo Rebeca al llegar, mientras miraba la mesa. Estaban los mismos de ayer. Tampoco estaba Carlota, que continuaba con su madre enferma.

—Claro, si llevas todo el día sin mirar el móvil. Te hemos llamado y mandado un montón de mensajes —dijo Almu, con cierto tono de reproche.

—Sí, acabo de darme cuenta. Menudo día de perros. Esta mañana, en la Facultad, apagué el teléfono y se me olvidó volverlo a encender. Luego, cuando llegué a *La Crónica,* todo fue una locura. Me enteré allí mismo de la muerte de la condesa —se disculpó Rebeca.

—Sí, todos hemos visto las noticias, por eso hemos convocado la reunión de hoy.

—¿Por qué? —preguntó extrañada Rebeca.

—¿De verdad no te lo imaginas?

—Pues no, Xavier.

—Creemos firmemente que pueden tener algo que ver los papeles que te entregó con su muerte, y estamos preocupados de verdad.

—¿Y por qué creéis eso? —pregunto sorprendida.

Charly se puso de pie y tomó la palabra. Cuando Rebeca lo vio levantarse ya se esperaba algún teatrillo de los suyos. Se conocían mucho tiempo y lo había visto en acción en otras ocasiones.

—Pensemos un momento. La condesa viene a Valencia por primera vez en siete años y empieza a hacer un inventario de bienes. Todos los cuadros de valor y las joyas de la condesa son conocidos, de hecho, la mayoría están declarados como BIC, bienes de interés cultural, o forman parte de varios catálogos. Si alguien hubiera querido robar cualquiera de ellos ¿no hubiese sido más sencillo hacerlo durante los siete años que la condesa no estuvo en la ciudad? ¿Para qué esperar a que la condesa volviera a su palacio, si el presunto ladrón y asesino ya debía de saber lo que había dentro? — razonó Charly.

Rebeca le estaba mirando con un gesto de indisimulada diversión.

—Sigamos reflexionando todos juntos. ¿Qué es lo único que estaba en el palacio que no era de público conocimiento? — Charly hizo una pequeña pausa—. Efectivamente, señoras y señores, los dibujos que le dio la condesa a Rebeca. Nadie, excepto el difunto conde, conocía su existencia. Ni siquiera su mujer, la condesa.

Charly se estaba gustando. Se notaba que disfrutaba con su discurso.

—Aparecieron justo ayer en una caja fuerte oculta y, nada más darlos a conocer, la matan en su casa. ¿Destino o casualidad?, como podría decir Melendi —concluyó Charly su teatral exposición.

Rebeca seguía sonriendo. Charly se sentó con aires de grandeza, haciendo una reverencia al público. Ahora era su turno.

—Bueno, señor don Carlos Torregrosa, no quiero fastidiarle su magistral intervención porque es usted un magnífico payaso, pero ¿se ha preguntado cómo podía saber el ladrón que habían aparecido esos dibujos? La condesa los encontró y acudió a la redacción del periódico. Que yo sepa, en el momento de su muerte, los únicos que sabíamos de su existencia éramos el director Fornell y todos los presentes en esta sala. Nadie más.

—Eso es cierto —dijo Xavier, pensativo.

—Siguiendo con su magnífica teoría y, como podría decir el mismísimo Hércules Poirot, de ser ciertos los hechos que usted nos acaba de exponer, «¡el culpable está sentado en esta mesa!» —dijo Rebeca, enfatizando a conciencia la última parte de su contestación.

—¡Rebeca, no digas eso ni en broma! —dijo Almu sobresaltada.

—¡Uno de nosotros es el culpable! Quizá con un algoritmo matemático, procesando vuestras personalidades. podría resolverlo —dijo divertido Bonet.

—¡Fantástico! —dijo entusiasmado Fede.

—Ya me has fastidiado mi magistral intervención, me había quedado de fábula —se quejó Charly.

—Pero Rebeca tiene razón, en realidad los dibujos no se habían hecho públicos todavía. Incluso desconocemos si la condesa se los había enseñado a otras personas —dijo Carmen, como siempre la voz de la sensatez.

Rebeca continuó hablando.

—No me malinterpretéis. Yo también pienso que los papeles de la condesa podrían tener algo que ver con su muerte. La verdad es que todo este asunto es una curiosa y desgraciada coincidencia, y ya sabéis que no me gusta creer en las casualidades.

—Tenemos que seguir investigando los papeles, seguro que somos capaces de averiguar algo —dijo Fede, intentando animar al resto.

Rebeca interrumpió la conversación.

—Me temo que ya no será posible.

—¿Por qué? —pregunto sorprendida Almu.

—Esta mañana, la Policía se ha presentado en la redacción del periódico y se los han llevado. Ya no están en mi poder, lo siento de verdad.

—¿Qué dices? —preguntó entre indignado e incrédulo Charly.

— ¡No me digas! — dijo Bonet con voz de sorpresa.

—¡No es posible, no te los pueden quitar, la condesa te los había dado a ti! ¡Quéjate ante las autoridades! Si se los hubiera querido dar a ellos, lo habría hecho —dijo Xavier con ese punto de antisistema que a veces le salía de forma espontánea.

—Tu tía es comisaria, habla con ella, tiene más rango que esos dos simples inspectores de pacotilla —dijo Fede, más práctico, aunque también enfadado, como el resto de miembros del club.

—Para empezar, no son dos simples inspectores de pacotilla, son de lo mejor del Grupo de Homicidios. Además, la juez que lleva este caso ha decretado el secreto del sumario. Me temo que ni siquiera mi tía podría hacer nada —dijo Rebeca —Lo siento de verdad chicos, no podemos continuar. Este asunto ha terminado —continuó Rebeca, algo decepcionada, pero por otra parte también se sentía liberada de una carga.

«Despué del clímax, llega el anticlímax», pensó Rebeca, mirando a todos sus amigos.

Vaya chasco se habían llevado todos.

19 15 DE OCTUBRE DE 1390

Samuel y Gabriel estaban nerviosos. Los acontecimientos se habían precipitado y no sabían cómo comportarse en casa. En ocasiones les costaba disimular, sobre todo a Gabriel. Ahora se supone que estaban estudiando en la habitación de Samuel, pero les resultaba muy difícil. No se concentraban y siempre acababan hablando del Gran Consejo. Además, Samuel aún se acordaba de la supuesta traición de su abuelo, que no se había atrevido a contarle a su amigo.

Gabriel intentó hacer un resumen.

—Han trasladado algo aquí, que no sabemos qué es, pero tiene que ser muy grande para tardar treinta años, y lo han escondido. Lo llaman árbol. Todos los miembros del Gran Consejo también se han trasladado a la aljama para poder celebrar las reuniones y custodiar el árbol. Lo que sea, debe ser muy importante y valioso —razonaba Gabriel.

—Pero hay más. Hablan de los peligros que corremos y tienen previsto un plan, no sabemos para qué exactamente.

—Un plan del que tú formas parte importante, no lo olvides —le recordó Gabriel.

—Ese pensamiento no me deja dormir. Mi abuelo no me ha enseñado nada fuera de lo normal. Estudio lo mismo que estudiarás tú más adelante. No sé nada de partes secretas ni nada parecido. No entiendo nada de nada.

De repente oyeron un ruido. Alguien estaba aporreando la puerta de la casa de Samuel.

—Escucha, alguien está llamando a tu puerta con insistencia —dijo Gabriel.

A Samuel le dio un vuelco el corazón. Aún se acordaba de la última vez que alguien visitó a su abuelo en su casa, fue cuando reconoció ser un traidor. Además, era una hora muy similar. Se quedó sin reaccionar. Ni siquiera era capaz de hablar.

Su abuelo fue a abrir la puerta y saludó al visitante. Oyeron los pasos encaminarse hacia el despacho de su abuelo.

—¿Nos acercamos a escuchar? —preguntó emocionado Gabriel—. Igual tiene algo que ver con el Gran Consejo.

—No creo que sea buena idea —dijo Samuel, que tenía miedo que el desconocido fuera el mismo de la ocasión anterior y que Gabriel pudiera escuchar palabras de traición en boca de su abuelo.

—Vamos, vamos —urgió Gabriel, mientras se encaminaba hacia la dependencia del abuelo de Samuel, sin darle tiempo a poder detenerlo.

Samuel siguió de mala gana a Gabriel, que ya estaba casi en la puerta del despacho. Si hubiera podido lo hubiese sujetado.

—Escucha Gabriel, no creo que... —intentó decir Samuel.

—*Shhhh*, calla —le interrumpió Gabriel.

Se quedaron en silencio escuchando. Apenas se oían dos voces dentro del despacho del abuelo de Samuel.

—Ya lo tengo todo dispuesto, según tus deseos —dijo el desconocido.

Samuel no sabía dónde ponerse ni qué hacer. Era la misma voz que oyó en la anterior ocasión, esa voz cristiana que escuchaba hasta en sueños. Estaba completamente atacado de los nervios.

Intentó alejar a su amigo de la puerta del despacho de su abuelo.

—Gabriel, deberíamos irnos. Mi abuela les traerá algo de beber en breve y nos va a descubrir —dijo Samuel, que estaba desesperado por alejar a Gabriel de aquella maldita puerta.

La conversación continuaba en el interior del despacho. La podían escuchar perfectamente.

—Sabes que aún no ha llegado el momento, pero ya está próximo —dijo el abuelo de Samuel.

—Cada día que pasa es más peligroso y más difícil. No te demores. Isaac, o quizá sea demasiado tarde —dijo el cristiano desconocido—. Ya te lo comenté la última vez que nos vimos.

Oyó a su abuela hacer ruidos en la cocina. Samuel aprovechó para coger a Gabriel del brazo y alejarlo de la puerta del despacho de su abuelo.

—Vámonos ya, que viene mi abuela y nos va a descubrir — dijo apresurado.

Volvieron casi corriendo al cuarto de Samuel. Gabriel se giró enfadado hacia su amigo.

—Pero Samuel, ¿qué es lo que te pasa? Tu abuela estará haciendo comida o cualquier otra cosa, ni siquiera se ha acercado a la puerta del despacho. Menudo susto me has dado.

—No quiero que mi abuelo me sorprenda espiándole. No me haría ninguna gracia perderme las próximas reuniones del Gran Consejo por un castigo —mintió Samuel, disimulando lo mejor que pudo su nerviosismo.

—No nos iban a pillar.

—¿Y tú qué sabes?

—Por cierto, hablando de saber, no sabía que el fray conociera a tu abuelo.

—¿Qué fray? —preguntó extrañado Samuel.

—He reconocido la voz de la persona que estaba hablando con tu abuelo. Sabes que mi padre es médico de la corte del rey y que atiende a cristianos. Pues esa voz se corresponde con un paciente suyo.

Samuel estaba sorprendido.

—¿Estás seguro?

—En una ocasión acompañé a mi padre hasta su casa, cuando tenía fiebres. Es la misma voz. Por supuesto que estoy seguro.

—¿Y quién es? —dijo con un súbito interés Samuel.

Gabriel hizo una pequeña pausa.

—Es fray Vicente Ferrer.

Samuel se quedó muerto. Había oído y leído acerca de ese fraile valenciano de la orden de predicadores, también conocida como dominicos, y no era nada bueno lo que sabía. Se decía que tenía verdadero odio a los judíos. Obligaba a los miembros de su comunidad a elegir entre la conversión al cristianismo o la más terrible de las muertes. Predicaba contra sus creencias más arraigadas, en todos los rincones del reino.

—¿Estás completamente seguro, Gabriel? He oído que no es una persona que nos tenga mucho aprecio, más bien todo lo contrario. Además, sabes que la Ley prohíbe que los maestres médicos judíos atiendan a los cristianos. Sí, ya sé que esa Ley no se cumple, pero no veo a ese fraile tan conocido saltándose la prohibición.

—No te creas todo lo que oyes y lees. Fray Vicente Ferrer es amigo de mi padre y siempre lo ha tratado con respeto. Al parecer también es amigo de tu abuelo, si no, no vendría a la judería a estas horas. Créeme, es toda una deferencia por parte de una persona de su posición.

Samuel estaba espantado.

«¿Una deferencia?», pensó. No se podía creer que ese fraile cristiano pudiera ser amigo de su abuelo ni del padre de Gabriel. Aunque debía reconocer que tenía razón en una cosa, no era nada normal que una persona de su posición estuviera a estas horas en la casa de un judío.

Samuel estaba desconcertado. Conocer la identidad del cristiano aún lo había perturbado más. Por si no tuviera bastante, otro misterio más para su colección particular, y ya llevaba unos cuantos...

20 EN LA ACTUALIDAD, MIÉRCOLES 2 DE MAYO POR LA TARDE

Por una vez, y sin que sirva de precedente, el *Speaker's Club* se había quedado mudo.

—Vaya manera de empezar y terminar un misterio. No se me ocurre nada gracioso que decir —rompió el hielo Charly.

—Eso sí que es raro, Charly. En realidad, es una verdadera lástima. El asunto prometía mucho, con nobleza y todo metida de por medio —dijo Xavier, que se notaba que lo sentía de verdad.

—Yo veo la parte positiva. El director Fornell por fin me dejará en paz y se olvidará del artículo. Ya se empezaba a convertir en una molesta costumbre acudir a su despacho todas las mañanas —dijo algo liberada Rebeca.

—Pues yo veo la parte negativa, nos han quitado un caramelo —dijo Fede fastidiado.

—Ya te pareces al director Fornell, hasta hablas como él —le dijo Rebeca, sonriéndole.

—Es que tu director siempre tiene razón —le replicó Fede, guiñándole el ojo.

—A pesar de no tener los papeles, ¿por qué no podemos continuar? —preguntó Almu con cierto optimismo.

—¿Cómo? —preguntó desganada Rebeca, sin terminar de comprenderlo.

—Todos vimos los dibujos y creo que los recordamos bastante bien.

—Con mi mente robótica podría intentar reproducirlos con exactitud —dijo Bonet, intentando hacerse el gracioso.

Carmen intervino en la discusión.

—Mi opinión como simple archivera es que será muy difícil reproducirlos con exactitud. Me temo que recordarlos bastante bien no es suficiente, Almu y Bonet. Aprecio vuestras buenas intenciones. Aunque todos nos podamos acordar más o menos, seguro que hay matices que se nos escapan. Al fin y al cabo, solo los vimos un momento. Además, cualquier opinión que pudiéramos pedir a un experto pasa por enseñarle los originales, no un garabato hecho por nosotros.

—Tu opinión es muy cualificada, no es como una simple archivera, Carmen. Por tu trabajo entiendes mucho de documentos y creo que tienes razón —sentenció Rebeca.

—Tuvimos que hacerles unas fotos con el móvil —dijo con pesar Charly.

—Ahora que todo ha pasado es evidente que no nos hubiera costado nada, pero a ver quién se iba a imaginar que ayer, después de entregarme los papeles, alguien mataría a la condesa en su palacio y que esta mañana se presentaría la Policía en el periódico para requisarme los dibujos originales. Ha sido todo un poco *marciano*, la verdad.

—Claro, Rebeca No te preocupes, nadie nos podíamos imaginar que todo eso pudiera ocurrir —dijo Carmen.

—No pretendía ofenderte, Rebeca. La culpa es de todos —se disculpó Charly.

—No creo que la culpa sea de nadie, ha sido un hecho inesperado e imprevisto —dijo Rebeca, aunque, en el fondo, se preguntaba cómo no se le había ocurrido hacerlo a ella misma.

—También tenemos el inconveniente de que el Juzgado ha decretado el secreto del sumario —dijo Fede. —Difícilmente vamos a poder progresar, si no podemos obtener nuevas evidencias.

Todos parecían resignados. La realidad se imponía, no podían seguir investigando.

Rebeca, secretamente, sintió un pequeño alivio, aunque no dijo nada.

Samuel se había quedado muy preocupado cuando Gabriel le reveló la identidad del fraile que hablaba con su abuelo. Sentía que no podía quedarse de brazos cruzados.

«¿Qué puedo hacer yo?», pensaba.

Las leyes cristianas habían impuesto que, en las sinagogas de la aljama de la ciudad, además de las habituales oraciones hebreas, también pudieran predicar los cristianos desde el pupitre de lectura, como así ocurría a veces. Había escuchado que, en una ocasión, fue el propio fray Vicente Ferrer el que lo hizo. También recordó la pequeña biblioteca que había en una de las salas laterales de la Sinagoga Mayor. Antes la utilizaba con cierta frecuencia y, aunque hacía algún tiempo que ya no acudía a ella, creía recordar que había algunos libros cristianos.

Samuel pensó que quizá podría echar un vistazo, a ver si encontraba alguna información de ese fraile.

Cuando terminó la escuela, en lugar de regresar a casa, se dirigió a la biblioteca. Entró en ella. Se dirigió hacia los armarios donde estaban los libros y empezó a leer los títulos, buscando los cristianos.

—Hola, Samuel, cuánto tiempo sin verte por aquí —dijo una voz desde el fondo de la sala.

Samuel se sobresaltó. No había visto a nadie cuando había entrado. Se giró hacia el fondo de la biblioteca, que estaba en penumbra. Lo reconoció de inmediato.

—Hola, Abraham, no te había visto. Perdona que no te saludara.

Abraham era el encargado de la biblioteca. Había sido rabino en Xàtiva hace años, pero ya era un anciano y ahora prestaba sus servicios como bibliotecario en la Sinagoga Mayor de Valencia.

—¿A qué se debe tu visita a la biblioteca, después de tanto tiempo sin dignarte ni siquiera a venir a verme?

Samuel no sabía qué decirle.

—A la curiosidad. Estoy leyendo muchos libros, ya he memorizado los seis tratados de la *Misnah* —contestó casi sin pensar, en modo automático.

—Muy bien, Samuel. Vas muy adelantado para tu edad.

—También mi abuelo me permite leer toda la correspondencia que mantiene, que es mucha. En su mayoría son cuestiones de la *Halakhah*, de nuestras costumbres y tradiciones.

—Lo sé, tu abuelo es una persona muy respetada y también muy solicitada. Ya sabes que es una gran autoridad talmúdica. Estamos muy orgullosos de que preste sus servicios como rabino aquí, sin olvidarnos de su magnífica escuela. Cuando llegó, hace cinco años, fue todo un acontecimiento en la aljama. Todos nos sentimos muy honrados.

Samuel no sabía cómo enfocar el tema que le preocupaba.

—Sabes que soy muy curioso, Abraham. Conozco nuestras costumbres y tradiciones, pero no las cristianas. Me gustaría saber algo más.

—¡Calla! Cualquiera que te escuche decir eso te podría reñir, no son palabras adecuadas para un niño de tu edad —dijo el anciano.

—Cualquiera me podría reñir, pero tú no. Sé que conservas libros cristianos en esta biblioteca, lo recuerdo bien.

—Porque nos obligan. Existen leyes que hemos de cumplir para evitar que nos impongan sanciones que no podemos pagar.

—Sí, pero recuerdo también haberte visto leerlos. Además, varias veces.

—Es verdad, pero tú eres demasiado joven como para entenderlos. No me gustaría que tu mente se viera contaminada por esas lecturas.

—No puedo evitar sentir curiosidad. Me dijeron que, en una ocasión, el propio fray Vicente Ferrer predicó en esta misma sinagoga —se atrevió a decir al fin.

Abraham se quedó mirando a Samuel, algo sorprendido por sus palabras.

—Así fue. Es un fraile bastante radical, ya sabes cuál es su lema «bautismo o muerte». Nos pide que abandonemos nuestras creencias y abracemos el cristianismo, o amenaza con matarnos.

—Sí, eso había oído.

—Lo curioso es que no siempre fue así. Nuestro pueblo lleva en estas tierras muchos siglos. Primero convivimos bajo la dominación musulmana y nos integramos entre ellos en paz. Fue una época muy enriquecedora para ambos pueblos. Aunque no te lo creas, una parte importante de nuestros conocimientos provienen de los árabes, aprendimos desde poesía hasta medicina. Grandes personajes vivieron en aquella época. Aún guardamos ese saber con celo y orgullo —decía Abraham, con una pequeña sonrisa de satisfacción en su rostro—. Sin embargo, luego llegaron los almorávides, que eran musulmanes venidos de tierras bárbaras del norte de África. La convivencia se complicó bastante, debido a que eran menos cultos y más radicales en sus creencias, pero, aun así, nuestra cultura floreció.

—¿Y qué paso después? —preguntó con curiosidad Samuel.

—Llegó la conquista de nuestras tierras a los árabes por el rey cristiano Jaime I en el año 1238, y nació el Reino de Valencia que conocemos hoy.

—¿Y entonces los cristianos nos sometieron?

—No Samuel, no nos sometieron. El rey cristiano nos necesitaba para repoblar las tierras conquistadas a los árabes, de hecho, llegaron muchos miembros de nuestra comunidad desde Aragón y Cataluña, incluso desde tierras más lejanas. Nuestra presencia en el reino se multiplicó. El rey nos prefería a nosotros frente a los mudéjares porque le éramos útiles y no le causábamos problemas, además, le servíamos como personal administrativo. Así que vivimos otra época de prosperidad. Al principio nos trataron bien e incluso nos dieron propiedades y campos para cultivar. Se concedieron privilegios a la aljama de Valencia, en la que ahora vivimos, muy similares a los que ya tenía la de Zaragoza. Aunque los reyes cristianos siempre buscaron nuestra conversión a su religión, en aquella época nunca nos obligaron a nada, las que se produjeron fueron siempre voluntarias. En definitiva, convivíamos en paz y en cierta armonía.

—¿Y cómo hemos llegado a la situación en la que estamos ahora, tan perseguidos y odiados?

—Buena pregunta, Samuel. No es fácil de responder, porque se debió a un cúmulo de circunstancias. A pesar de las buenas intenciones iniciales de los reyes cristianos, al final le debían cierta obediencia a la Iglesia católica, que cada vez se volvía más intransigente con nuestras creencias. Además, a consecuencia de los interminables problemas económicos, el pueblo llano cristiano siempre nos ha mirado con mucho recelo y envidia porque le hacíamos la competencia en materia artesanal, además pensaban que éramos ricos.

—¿Ricos? —preguntó incrédulo Samuel.

—Tú sabes que no es cierto. Es verdad que, entre nosotros, hay mercaderes y prestamistas que son ricos, y todavía más en otras aljamas como las de Toledo, Sevilla o Córdoba, pero nuestro pueblo sufre las mismas calamidades, o incluso más, que el pueblo cristiano. Unos pocos son muy ricos, pero la mayoría no lo somos. En realidad, ocurre exactamente igual que con los cristianos. Tenemos los mismos problemas que ellos, incluso quizá más.

—¿Y por eso nos odian?

—No solo por eso. No olvides que nos acusan de matar a su Dios, por ello nos llaman ratas deicidas.

—Pero eso ocurrió hace mucho tiempo, nosotros no tenemos nada que ver con aquello. No nos pueden estar responsabilizando eternamente de algo que sucedió hace más de mil años.

—Lo sé, pero ellos no. Además, no te olvides que en 1348 nos alcanzó la enfermedad conocida como la «muerte negra» o peste. Falleció mucha gente por culpa de ella, no solo cristianos, también muchos judíos. Algunas aljamas pequeñas casi desaparecieron porque se quedaron vacías, y en las grandes la población se diezmó. Lo peor es que los cristianos nos llegaron a culpar de todo aquello.

—¿Y por qué nos acusaron de una enfermedad que también sufrimos nosotros?

—Los cristianos creían que la «muerte negra» era un castigo que les enviaba Dios por convivir con nuestro pueblo y se volvieron contra nosotros. Incluso nos llegaron a acusar de envenenar el agua de sus pozos. El pueblo llano lo creyó. Hubo una revuelta popular y mataron a muchos miembros de nuestra comunidad en otros lugares, hasta que intervino el rey y las cosas se tranquilizaron un poco, pero de forma tan solo temporal.

Samuel se dejó llevar.

—¿Es cierto que la situación se va a complicar mucho para nuestro pueblo próximamente?

Abraham se puso muy serio por un momento. Le cambió el semblante por completo.

—¿Dónde has escuchado eso, Samuel? —preguntó en un tono claramente interrogador.

A Samuel se le vino el mundo encima. ¡Qué torpe había sido! No había pensado lo que preguntaba. Estaba claro que no podía contarle dónde lo había escuchado. No podía revelarle nada de lo que sabía, ni del Gran Consejo.

«¿Y ahora qué le digo a Abraham?», pensó Samuel alarmado.

Estaba en un serio aprieto.

22 EN LA ACTUALIDAD, MIÉRCOLES 2 DE MAYO POR LA TARDE

Tote estaba preocupada por su sobrina Rebeca. No había querido decirle nada, pero no le hacía ninguna gracia que se viera involucrada en un homicidio, aunque fuera de una manera indirecta.

Sentada en su despacho en la comisaria de la calle Zapadores, pensaba si podía hacer algo. No le gustaba inmiscuirse en el trabajo de sus compañeros, y menos si pertenecían a otro grupo o a otra comisaría, pero, quizá, en este caso, debería hacer una excepción. A su favor jugaba que era una persona muy conocida dentro del Cuerpo Nacional de Policía. Si pedía ayuda, con toda probabilidad se la iban a prestar.

Conocía a Rebeca y sabía que era una joven muy responsable, pero este asunto le venía un poco grande. Al fin y al cabo, tan solo era una estudiante de Historia de veintiún años, trabajando a tiempo parcial en un periódico para pagarse sus estudios. No la veía involucrada en un asunto de esta envergadura.

Lo que parecía que estaba claro es que había un asesino suelto, y que era perfectamente posible que la muerte de la condesa de Dalmau tuviera que ver con los papeles que le había entregado a Rebeca. Y lo más importante, lo lógico es que el asesino pensara que esos papeles aún siguieran en poder de Rebeca, porque era improbable que se hubiera enterado que le fueron requisados por los investigadores policiales.

La conclusión de sus pensamientos espantó a Tote. Si esos dibujos tenían algo que ver con la muerte de la condesa, era perfectamente posible que su asesino intentara contactar con

Rebeca para recuperarlos. Ya había matado a una persona, no le importaría hacerlo otra vez.

Sus dudas se disiparon de inmediato. Decidió llamar a la inspectora Cabrelles ahora mismo.

«Mi sobrina podría estar en peligro», pensó, verdaderamente espantada.

«Ahora eso es lo más importante de todo».

23 | 17 DE OCTUBRE DE 1390

Samuel estaba paralizado. La pregunta acerca de que la situación para el pueblo judío se iba a complicar mucho, había sido una gran estupidez. Tenía que pensar alguna respuesta e improvisar rápido, si no, el bibliotecario Abraham podría sospechar algo.

—Lo he oído por las calles —dijo, lo primero que se le pasó por la cabeza.

«Vaya tontería acabo de decir», pensó de inmediato Samuel.

—¿Por las calles de nuestra aljama? Pues aquí las cosas no están tan mal como en otros lugares, no sé por qué pueden decir eso —dijo algo indignado Abraham.

Samuel aprovechó y continuó preguntando, a ver si el anciano se olvidaba de su metedura de pata.

—Entonces, ¿en nuestra ciudad no ocurrió nada?

—Yo no he dicho eso. En Valencia también asaltaron la judería un grupo encabezado por los cristianos Berenguer Fabra, Vicent Cendrelles y Francesc del Bosch entre otros, aunque los incidentes no llegaron a ser tan importantes como en otros lugares. La prueba de que no se trató de un asalto por motivos religiosos es que fueron otros sus objetivos. Se dirigieron contra los judíos más ricos. Te puedo poner un ejemplo que conozco muy bien. A mi amigo Salomó Coffe, hijo del fallecido médico de la casa real Alatzar, le robaron todos sus bienes. Pero a pesar de ello, este asalto no fue lo más grave que ocurrió en nuestra aljama, lo peor vino unos años después. Eso sí que fue una verdadera tragedia.

—¿Qué pasó? —preguntó Samuel, más aliviado porque parecía que Abraham ya se había olvidado de su *preguntita*.

—Como te decía, ocho años después, en 1356, estalló la guerra entre la Corona de Aragón y el Reino de Castilla, cuyos dos reyes, curiosamente, se llamaban igual, Pedro. La guerra fue nefasta para el Reino de Valencia, casi nos arruinan. Pasamos por verdaderas calamidades, hambre, miseria y enfermedades. Otras aljamas más pequeñas incluso llegaron a desaparecer durante esta guerra. La firma de la paz, trece años después, en 1369, entre Pedro IV de Aragón y el nuevo rey de Castilla, Enrique II, nos permitió el inicio de un periodo de lenta recuperación.

—¿Entonces la situación actual es buena? —siguió preguntando Samuel, sin pensar demasiado lo que decía. Solo quería siguiera hablando y se olvidara de la pregunta inoportuna.

—¿Cómo me preguntas eso Samuel? —preguntó el bibliotecario, indignado.

—No sé, como me decía que se firmó la paz... —empezó a decir.

—Sabes de sobra que no —le interrumpió Abraham—. Los cristianos y los judíos vivimos en la misma ciudad, pero parece que sean distintas. Incluso me atrevería a decir que no parecen, que lo son. Estamos encerrados en la judería y no quieren saber nada de nosotros más que para lo que a ellos les conviene. Cuando salimos de ella debemos llevar una marca, para que todo el mundo nos reconozca como judíos. Recelan de nuestros mercaderes, de nuestros sastres y de nuestros orfebres. Nos ven como sus competidores, como sus rivales y como sus enemigos. No se trata tan solo de una cuestión religiosa, influye poderosamente el tema social, sin olvidarnos del económico. Vivimos una época de grandes dificultades, y los cristianos estarían encantados de que desapareciéramos. A veces me da la impresión que la religión es, en realidad, un pretexto que esconde todo lo demás. Es verdad que, en Valencia, las cosas no están tan mal como en otras aljamas, pero eso no significa que estén bien, ni mucho menos.

Abraham continuó.

—Por cierto, ahora que me acuerdo, ¿exactamente dónde has escuchado que la situación se iba a complicar mucho? Sé que existen disputas por el control de nuestra aljama y me preocupa que suban de tono. Parece que no tengamos suficiente con los problemas con los cristianos, que también nos buscamos problemas entre nosotros—dijo el anciano bibliotecario.

«Otra vez no, por favor», pensó alarmado Samuel, que pensaba que era un tema olvidado.

—Lo escuché por las calles, Abraham. Ahora mismo no me acuerdo dónde exactamente —contestó apresurado.

«Tengo que salir de aquí cuanto antes», pensaba Samuel.

—Muchas gracias, Abraham, por toda la información que me has dado. Te estoy muy agradecido, siempre aprendo mucho de ti. Ahora me tengo que ir, me estará esperando mi abuela en casa. No sabe que estoy aquí.

—¿Te vas tan pronto?

—Pero volveré. Aún no me has contado nada acerca de Vicente Ferrer, y me interesa conocer algo de la vida de ese fraile.

—Desde luego tienes unas inquietudes muy raras, Samuel.

Se despidió lo más rápido que pudo y se alejó de la biblioteca, cruzando el patio de la sinagoga. Había ido buscando respuestas, y salía de ella con más preguntas todavía. Por supuesto, llegó muy tarde a casa.

Abraham se quedó pensativo.

No sabía si debía de preocuparse o no.

24 EN LA ACTUALIDAD, MIÉRCOLES 2 DE MAYO POR LA NOCHE

Rebeca regresó a casa, abrió la puerta y lo primero que hizo fue buscar a Joana. La encontró sentada en la cocina, cenando tranquilamente en la mesa. Respiró aliviada. No tenía ningún motivo objetivo para estar preocupada por ella, pero tenía que reconocer que sí lo había estado.

—Hola, Rebeca, ¿cómo estás? —dijo, con voz jovial

—Hola, Joana, ¿dónde te has metido todo el día?

—Hoy he tenido un día de perros. He estado encerrada en mi despacho de la Facultad hasta mediodía, preparando la conferencia de mañana, y luego he tenido tutoría en el departamento.

—¿Conferencia de mañana? —preguntó Rebeca, extrañada —No sabía nada.

—Pues hay carteles pegados por toda la Facultad. ¿No los has visto?

«Algo no iba bien», le decía el instinto de Rebeca. Recordaba perfectamente que había preguntado a un compañero de departamento por Joana y le había dicho que no la había visto en toda la mañana. Le pareció raro. Por otra parte, Joana tampoco tenía ninguna necesidad de mentir. No tenía sentido alguno.

Joana la sacó de sus pensamientos.

—Por cierto, he estado pensando en los dibujos que me enseñaste anoche. Creo que podríamos avanzar más si se los muestro a algunos compañeros en la Facultad.

—Pues lo lamento, ya no podrá ser. Dos policías estuvieron en la redacción del periódico esta mañana y se los llevaron. Ya no los tengo en mi poder.

—¿La Policía? —preguntó extrañada Joana— ¿Y por qué les interesaban esos dibujos?

—Sí, vinieron dos inspectores. Además, conocían a Tote, y, con mucha educación, me dijeron que no tenían claro si los papeles podrían tener algo que ver con la muerte de la condesa. Se los llevaron por si acaso.

—¿La condesa ha muerto? —preguntó Joana con los ojos abiertos, completamente sorprendida.

Rebeca cayó en la cuenta que no hablaba con Joana desde anoche, y que no le había contado la muerte de la condesa.

—¿No has visto las noticias? La encontraron muerta ayer por la tarde, parece ser que entraron a robar en su casa. Yo me he enterado esta mañana en el periódico por el director Fornell. Luego han venido los inspectores.

Joana se sorprendió visiblemente.

—¡Vaya noticia inesperada! ¿Cómo estás tú?

—Bien, bien. Yo también he tenido mi particular día de perros y, además, como ya te he dicho, me han quitado los dibujos.

—¡Qué lástima! Parecían antiguos de verdad. Hubiera sido interesante estudiarlos con más profundidad.

—Por lo menos el director Fornell me dejará en paz. En realidad, creo que me he quitado un peso de encima. Tener que escribir un artículo de algo que no sabía ni siquiera lo que significaba, no era algo agradable.

—Eso sí —dijo Joana riendo.

A Rebeca le dio la impresión de que era una risa nerviosa.

«Creo que me estoy volviendo algo paranoica, en realidad no tengo ningún motivo para dudar de Joana. ¿O sí?»

Resolvió no decidir nada y consultarlo con la almohada. Había sido una jornada muy complicada.

Mañana sería otro día.

25 18 DE OCTUBRE DE 1390

—¡Samuel, despierta de una vez!

—¿Qué pasa? —se incorporó Samuel sobresaltado. Vio al lado de su cama a Gabriel, muy nervioso.

—¡Vístete rápido, vamos!

—¿Qué hora es? —dijo Samuel, sin comprender nada.

—Casi medianoche.

—¡No me has dicho qué pasa! Me estás asustando.

—Acabo de ver a mi madre saliendo de casa y llevaba puesta esa especie de capa —dijo Gabriel, fuera de sí mismo.

Samuel reaccionó por fin.

—¿La capa del Gran Consejo? —preguntó, muy sorprendido.

—Sí, claro. ¿Qué otra capa va a ser?

—No puede ser, no he visto a mi abuela preparando la de mi abuelo.

—Te aseguro que sí puede ser, lo he visto con mis propios ojos.

—¿Y mi abuelo?

—No sé, igual no asiste a esta reunión.

—¿Cómo no va a asistir al Gran Consejo si es su anfitrión y se reúnen en la Sinagoga Mayor? Eso es imposible.

—Lo que tengo claro es que mi madre ha salido hace un momento en dirección a la Sinagoga Mayor.

Samuel cayó en la cuenta.

—Espera, espera —dijo, recordando—. Ayer llegué tarde a casa a mediodía, porque me entretuve en la biblioteca hablando con Abraham.

—Pues igual tu abuela preparó la capa y tú no la viste.

Samuel salió de la cama de un salto y empezó a vestirse a toda velocidad. Por nada del mundo quería perderse esta reunión. Recordaba que en el último Gran Consejo se dijo que la próxima convocatoria sería cuando hubiera novedades significativas.

«¿Qué habrá pasado?», pensó, mientras se terminaba de vestir. «Desde luego debe ser algo importante».

26 EN LA ACTUALIDAD, JUEVES 3 DE MAYO POR LA MAÑANA

Rebeca se despertó mucho más descansada. Hoy había dormido bien. Parecía mentira, pero todo el asunto de la condesa y, sobre todo, la presión del director Fornell con el dichoso artículo, le había amargado estos dos últimos días. Se levantó de la cama y se fue directamente al baño. Abrió el grifo de la bañera. No le gustaba utilizarla, porque consumía demasiada agua, pero esta mañana pensó que se lo merecía.

«Un capricho es un capricho», se dijo.

Se quitó el pijama y se sumergió en las cálidas aguas de esa especie de piscina que su tía Tote se había empeñado en comprar. Era una bañera de hidromasaje en la que cabían perfectamente dos personas tumbadas, con total comodidad.

«Un día de estos me tengo que echar novio, aunque sea para aprovechar este *jacuzzi*», pensó divertida Rebeca. «Ahora voy a encender las burbujitas, si eso».

Tumbada en la bañera y en medio de toda aquella explosión de sensaciones carbónicas, pensó en todos los acontecimientos que habían sucedido estos días. Se puso a pensar en voz alta.

«Si la condesa ha muerto por los papeles que me entregó, ¿no estaré yo misma en peligro? Y lo que es peor, ¿no habré puesto en peligro a todos mis amigos? Todo ha ido demasiado rápido, y no hemos tenido tiempo de parar para pensar ni siquiera en sus consecuencias. Debería pedirle consejo a mi tía, ella siempre tiene una visión muy objetiva de las cosas. Además, no hay que olvidar que es comisaria de Policía. ¿Quién mejor que ella para decirme qué debería hacer?»

Rebeca siguió reflexionando.

«¿Y Joana? No me gusta tener dudas sobre ella, pero algo no cuadra. Salió de casa ayer por la mañana a primera hora.

Dijo que había estado toda la mañana en la Facultad, pero sus compañeros de departamento no la habían visto», siguió pensando. Supongo que todo el mundo tiene derecho a tener sus secretos, pero desde luego había elegido un momento muy inoportuno para manifestarlos.

Rebeca no sabía qué pensar, estaba hecha un lío.

«Creo que le daré un voto de confianza, tampoco tengo pruebas de ninguna deslealtad y siempre se ha portado muy bien conmigo». No podía evitar tener una sensación incómoda con este tema.

«Ahora, voy a abandonar completamente mi mente y sobre todo mi cuerpo al placer hídrico de las burbujas. Por lo menos hoy, cuando llegue al periódico, no tendré que volver al despacho del director Fornell, y eso sí que es un aliciente para empezar el día con alegría», pensó, casi entrando en trance.

Estaban siendo días duros y nada garantizaba que se fueran a terminar.

Samuel y Gabriel llegaron a la Sinagoga Mayor casi a la carrera, temiendo presentarse tarde y no poder esconderse bien. Entraron en el patio en silencio, cuando de repente vieron dos sombras en un rincón. Se detuvieron de inmediato. De haber seguido andando se hubieran dado de bruces con ellos.

—¡Para, para! —susurró Samuel mientras sujetaba del brazo a su amigo—. Escondámonos detrás de ese árbol, a ver si podemos escuchar lo que dicen sin que nos vean.

Se ocultaron entre las sombras. La conversación ya se había iniciado.

—¿Y entonces qué te dijo? —murmuró una voz. Ambos la reconocieron, era la voz ronca del anciano que se hacía llamar número uno en el Gran Consejo.

—Está muy impaciente, quiere que todo lo acordado se ejecute ya —contestó otra voz. Era la del abuelo de Samuel.

—¿Qué le dijiste?

—Que necesitaba algo más de tiempo, que aún no estaba preparado.

—No podremos demorar las cosas mucho más, Isaac. Ya sé que todo esto es muy difícil para ti. Con toda probabilidad, tu familia va a ser una de las más perjudicadas de entre todas las que formamos este proyecto, pero el tiempo va trascurriendo de forma inexorable, para nuestra desgracia.

—Desde luego que va a ser muy difícil, pero tienes razón, el tiempo se va agotando.

—Lo importante es que ese fraile no sepa nuestras verdaderas intenciones. Sería una auténtica catástrofe.

—Tranquilo, sé que no sospecha nada. Está encantado con lo que cree haber conseguido. Casi diría que está eufórico, pero le preocupan los retrasos en la operación. Dice que, si esperamos mucho más, ni él mismo lo podrá evitar.

—Bueno, Isaac, vamos a entrar en la sinagoga. El Gran Consejo nos espera y se estarán impacientando.

Samuel y Gabriel vieron como las dos personas se dirigían hacia la puerta de la sinagoga y entraban en ella. Los dos amigos se quedaron mirando intentando buscar algún sentido a lo que acababan de escuchar.

—¿Qué quería decir el anciano con todo esto? ¿De qué fraile hablaban? — preguntó Gabriel.

Samuel estaba pálido. No sabía qué pensar, ni que contestarle a Gabriel. Sospechaba que se referían a la conversación que había escuchado entre su abuelo y fray Vicente Ferrer, pero no se la había contado a Gabriel, así que tampoco le podía decir nada ahora.

Samuel pensó que el hecho de que el número uno estuviera al tanto de lo que tramaba su abuelo con el fraile, descartaba la traición. Se tranquilizó un poco. Todo debía formar parte de algún plan que desconocía. Le faltaba información. No obstante, estaba preocupado. No sabía qué quería decir el anciano cuando dijo que su familia sería de las más perjudicadas. «¿En qué exactamente? ¿Qué les iba a pasar?»

Gabriel sacó a Samuel de sus pensamientos.

—Samuel, ¡que te has quedado atontado! Como no entremos rápido en la sinagoga nos perderemos la reunión del Gran Consejo. Seguramente habrá comenzado ya.

—Vamos, vamos —contestó aún algo aturdido Samuel—. Quiero saber qué es lo que cuentan, que debe ser importante.

Ambos se dirigieron hacia la entrada con la máxima prisa posible.

28 EN LA ACTUALIDAD, MIÉRCOLES 3 DE MAYO POR LA MAÑANA

Rebeca salió de casa completamente relajada. Hacía un día magnífico, lucía el sol en todo lo alto, y hasta le parecía que las mariposas volaban libres por la ciudad. Cogió la bicicleta y se dirigió a la sede del periódico. Veía la vida en colores.

«¿Qué puede salir mal hoy?», pensó Rebeca completamente optimista. Las burbujas habían causado el efecto apropiado en su cuerpo y en su mente.

Llegó a la redacción de *La Crónica*. Esta vez no entró con sigilo como ayer, saludó a todo el mundo y se dirigió a su mesa con naturalidad.

—¿Qué te pasa hoy? Te veo radiante —le dijo Teresa, su compañera de mesa y buena amiga.

—Hola, Tere, llevaba unos días con bastante tensión, pero hoy estoy mucho más relajada —contestó Rebeca.

Vio que Alba, la secretaria del director Fornell, se acercaba a su mesa.

«Hoy no, por favor, hoy no toca», pensó, mientras entrelazaba las manos, en un gesto de nerviosismo.

—Rebeca, te llama el señor director a su despacho, es urgente —le dijo Alba, esta vez en tono de voz más apropiado.

No se lo podía creer.

—Estás bromeando, ¿verdad?

Alba se quedó mirando a Rebeca en silencio, como si no comprendiera la pregunta de Rebeca.

—Claro, no sabes ni lo que es una broma, ¿verdad? —pregunto Rebeca, con cierta guasa.

—No te entiendo. El director te espera en su despacho ya —dijo Alba, con su habitual voz monótona.

Por tercer día consecutivo, Rebeca recorrió el pasillo hasta el despacho del director. Llamó a la puerta y entró. El señor Fornell estaba sentado, leyendo unos papeles y ni siquiera levanto la vista.

—Hola, Rebeca, buenos días —le dijo, desde detrás de su mesa.

—¿Me echaba de menos?

Ahora sí, Fornell levantó la cabeza y se quedó mirando a Rebeca.

—Te veo relajada y de buen humor. Mejor, siéntate, tenemos que hablar —dijo el director, mientras le señalaba las sillas.

Rebeca se sentó y se quedó esperando a lo que fuera que Fornell quisiera decirle esta mañana. Nada parecía ocurrir.

«Tenemos que hablar y, ahora, silencio», pensó Rebeca. «Contradicción en sus términos».

Se tomó su tiempo en comenzar, mientras continuaba mirando sus papeles. Al final se decidió.

—Mis fuentes judiciales me han informado que la Policía está a punto de dar por cerrado el caso de la condesa.

Rebeca se sorprendió.

—Ah, ¿sí? ¿Han detenido al culpable?

—Pues supongo que sí, aunque, en realidad, no lo sé. Desde luego si lo han hecho no me han dicho a quién.

—No le entiendo —dijo extrañada Rebeca, que no comprendía que quería decir el director.

—Lo único que mi fuente me ha comentado es que van a cerrar el caso, nada más.

—¿Y cómo es posible eso? Tendrán algún sospechoso.

—No tengo ni idea. Quizá estén escondiendo algo que no quieran decir, o quizá mi fuente no haya sido todo lo precisa que debiera —dijo el director Fornell, con gesto de profundo fastidio.

—¿Usted cree? —preguntó Rebeca, completamente desconcertada.

—No creo nada, lo único que sé es que van a cerrar el caso de forma inminente y quiero saber el motivo antes que nadie.

Recuerda que esta noticia era nuestra desde el principio. Nos la quitaron a traición y con malas artes. Eso del secreto del sumario debería estar prohibido, está pensado para que la gente no se entere de lo que ocurre a su alrededor. No te creas que lo olvido tan fácilmente.

—Pero señor director, mientras no se levante precisamente ese secreto del sumario será difícil averiguar algo.

—¡Y un cuerno! Seguro que *La Región* ya anda detrás de la noticia. Huelen la sangre.

Rebeca no sabía lo que pretendía el director Fornell.

—¿Y qué quiere que haga yo exactamente?

—No me voy a andar con rodeos, te lo digo directamente, Quiero que hables con tu tía, la comisaria Rivera. Ella debe saber algo.

—Pero... —empezó a protestar Rebeca.

—Que quede claro, no pido información privilegiada —le interrumpió el director—, simplemente algún dato que corrobore lo que está pasando, no sé, por ejemplo, saber a quién han detenido. Creo que nos lo deben. Me sentaría muy mal que, después de haber tenido una gran noticia en nuestras manos, la competencia se nos adelante.

A Rebeca le parecía que al director le salía humo por las orejas. Aunque se esforzaba por no parecerlo, estaba enfadado de verdad.

—Señor Fornell, no le puedo prometer nada. No sé si mi tía estará al corriente de esta investigación, ya sabe que está destinada en Extranjería y, aunque lo estuviera, tampoco sé si querrá compartir conmigo esa información.

—Haz lo que puedas. Sé que eres capaz de ser muy persuasiva cuando te lo propones. Aunque no lo creas, te he visto en acción.

Rebeca salió del despacho del director con una extraña sensación. No le hacía ninguna gracia tener que pedirle favores de este tipo a su tía. Le daba la impresión que se estaba aprovechando de su parentesco para obtener información privilegiada, aunque no fuera exactamente eso.

«Me he comprometido con el director y lo haré, pero, a la primera negativa de mi tía, no insistiré más. Tampoco quiero ponerla en ningún compromiso», se dijo. Se limitaría a cumplir el expediente y ya está.

Volvió a su mesa y se puso a trabajar en su próximo artículo. Pensó en salir un poco más pronto de la redacción y hacer una visita a su tía. En cualquier caso, antes de que el director le dijera nada, Rebeca ya había decidido por sí misma hablar con ella de este asunto y pedirle consejo. No quería poner en peligro a sus amigos, si resultaba que había algún ladrón y asesino suelto.

«Con lo bien que había empezado el día, ya se ha fastidiado un poco», pensó Rebeca, aunque tenía que reconocer que las palabras del director Fornell habían avivado su curiosidad.

«¿Habrán detenido al culpable? ¿Quién será? ¿Tendrán los papeles secretos algo que ver con todo este asunto?».

Rebeca estaba intranquila.

Samuel y Gabriel se disponían a entrar en la sinagoga.

—Y ahora, ¿cómo entramos sin que nos vean? Están ya todos sentados en las primeras filas —dijo Gabriel.

—Recuerdo que la parte izquierda quedaba más en penumbra y no tenías que cruzar por delante de los asistentes —dijo Samuel.

Gabriel asomó su cabeza a la sinagoga y miró en todas direcciones.

—¿Pero estaban ya sentados? Porque ahora no veo por dónde podemos entrar sin que nos vean.

—No, tienes razón, aún no se habían sentado. Estaban de pie en el otro extremo de la sinagoga.

—Pues a ver qué hacemos ahora. La reunión del Gran Consejo ya ha empezado y nos la estamos perdiendo.

Samuel también se asomó al interior de la sinagoga.

—No parece que podamos entrar sin que nos vean —dijo, después de un momento—. Es demasiado arriesgado. Quedaríamos expuestos durante el tiempo suficiente para que, cualquiera de ellos, nos descubriera. El plan de entrada está descartado.

—¡Qué fastidio! —dijo bastante enfadado Gabriel.

Samuel se quedó un momento en silencio.

—No podemos entrar, pero quizá seamos capaces de escuchar.

—¿Y cómo se supone que podemos hacer eso?

—Hace dos semanas hubo una tormenta. Recuerdo que mi abuelo me dijo que se habían roto dos ventanas. Sabes que las reparaciones en la sinagoga van muy despacio, los artesanos se toman su tiempo. Podemos ir a ver en qué estado están los arreglos.

Se acercaron corriendo a un lateral. Vieron las dos ventanas rotas, pero estaban a mucha altura. Había una especie de andamio montado, seguramente para iniciar su reparación.

—¿Y si subimos? Si lo pueden hacer los artesanos, lo podremos hacer nosotros también —dijo Gabriel con optimismo.

—Venga, vamos a intentarlo, tampoco perdemos nada por ello —dijo Samuel, sin pensárselo dos veces, a pesar de su elevada altura.

Se encaramaron al andamio con alguna dificultad y se asomaron por la ventana. Se escuchaban unas voces lejanas, pero se entendía lo que decían.

—¿Entonces ha llegado el momento? —oyeron a una voz preguntar.

—Sí, ahora ya ha llegado —contestó el número uno.

—El desenlace debe estar muy cercano, quizá sea cuestión de horas únicamente —dijo el abuelo de Samuel.

—Todos los que estamos aquí somos voluntarios. Representamos a todo nuestro pueblo, hombres y mujeres, ricos y pobres, ancianos y jóvenes. No olvidemos que todos somos el Gran Consejo, somos la gran esperanza. Sabíamos que este momento acabaría llegando y estamos preparados para ello —dijo con mucha solemnidad el número uno.

—Nos reuniremos en una semana, no habrá convocatoria. Esperamos entonces tener noticias definitivas del desenlace —continuó el número uno.

Todos los miembros del Gran Consejo fueron abandonando la sinagoga, en completo silencio, como siempre. Samuel y Gabriel se quedaron agazapados encima del andamio, a la espera que todo se despejara. Cuando ya no escucharon ningún sonido, se bajaron con mucho cuidado.

—¡Qué fastidio, no nos hemos enterado de nada! —dijo Gabriel enfurruñado.

Samuel no estaba de acuerdo con su amigo.

—De nada no. Algo hemos escuchado, y muy intrigante.

—Sí, no sé qué de un desenlace que está próximo.

—No me refería a lo del desenlace. ¿No te parece todo muy extraño, Gabriel? ¿Has escuchado al número uno hablar de la composición del Gran Consejo? ¿Hombres y mujeres? ¿Ricos y pobres? ¿Ancianos y jóvenes?

—Sí, la verdad es que es muy raro.

—¿Raro? Esa palabra se queda muy corta. ¿Cuándo has conocido tú en nuestro pueblo algo así? No hace falta que me contestes, ya lo haré yo. Nunca. Jamás en toda nuestra historia, a lo largo de los siglos, ha existido nada ni siquiera parecido, que yo sepa, y te aseguro que he leído muchos libros.

—Tú lo has dicho, que tú sepas. Está claro que no puedes saberlo todo, no olvides que tenemos tan solo doce años, Samuel. Que estemos disfrutando de estas aventuras nocturnas no nos convierte, de repente, en adultos.

Samuel se quedó observando fijamente a Gabriel, que continuó hablando.

—Miremos la parte positiva, por lo menos sabemos cuándo ocurrirá la próxima reunión del Gran Consejo, y desde luego no nos pasará como hoy, que hemos llegado cuando ya se había terminado.

Samuel continuó callado, las palabras de Gabriel le habían dejado muy pensativo.

30 EN LA ACTUALIDAD, MIÉRCOLES 3 DE MAYO A MEDIODÍA

Como tenía previsto, Rebeca salió de la redacción de *La Crónica* un poco antes de su hora habitual, tomó la bicicleta y se dirigió a la comisaría de la calle Zapadores, dónde tenía el despacho su tía Tote.

Llegó en apenas quince minutos, dejó su bicicleta bien aparcada y entró en la Comisaría. No conocía al policía que había en la puerta.

—Hola, buenos días. Vengo a ver a la comisaria Rivera —dijo Rebeca, mostrando su carné de identidad.

—¿Tenía cita con ella? —preguntó casi por rutina el policía, sin levantar la mirada.

—No, soy su sobrina —contestó Rebeca.

—¡Ah, hola! No te conocía. Voy a ver si está libre —contestó, con una sonrisa de oreja a oreja.

A los pocos minutos volvió con la misma sonrisa.

—Adelante, puedes pasar. ¿Sabes dónde está su despacho o te acompaño?

—No te preocupes, ya he venido en otras ocasiones.

Rebeca se dirigió al despacho de su tía y, mientras andaba, pensaba en la manera de plantearle el tema. No le hacía ninguna gracia que tuviera que pedir un favor a otra compañera por esta cuestión. Le había dicho que conocía a la inspectora Cabrelles, pero no sabía qué grado de confianza tenía con ella. También desconocía si era procedente que un superior pudiera pedir información de un caso que no era de su competencia a una subordinada de otra comisaría. De todas maneras, ya había decidido no insistir, si su tía le planteaba el más mínimo problema.

Llamó a la puerta y escuchó la voz de su tía desde el interior.

—Adelante, pasa.

Entró en el despacho y vio que su tía tenía una visita, que estaba sentada de espaldas a Rebeca.

«¿Cómo me hace pasar si está atendiendo a otra persona?», pensó. No le hubiera importado esperar a que terminara.

Su tía la recibió con una gran sonrisa y señaló a su acompañante.

—Creo que ya os conocéis, no hace falta que os presente.

La persona que estaba sentada se giró hacia Rebeca.

«¡Caramba, esto sí que no me lo esperaba! ¿Qué hace aquí?», pensó completamente desconcertada.

—Hola, inspectora Cabrelles. De espaldas no la había conocido —dijo Rebeca, con un indisimulado gesto de sorpresa en su rostro.

—Hola, Rebeca, ¿cómo estás? Llámame Sofia, no hace falta inspectora Cabrelles, tampoco yo te voy a llamar señorita Mercader —dijo la inspectora, que parecía de buen humor, nada que ver con la seriedad y formalidad que exhibió en su visita al periódico.

«Estupendo ¿Y ahora cómo planteo el motivo de mi visita con ella delante?», pensó fastidiada Rebeca.

—Sofia y yo estamos poniéndonos al día. Hacía tiempo que no nos veíamos en persona.

—Aunque trabajamos en la misma empresa, por decirlo de alguna manera, hacía más de medio año que no coincidíamos —confirmo la inspectora, que aún continuaba con la sonrisa en su rostro.

«Si parece simpática y todo», pensó Rebeca.

Tote se dirigió a su sobrina.

—¿A qué se debe tu agradable compañía?

Rebeca decidió ir al grano y dejarse de rodeos. Ahora estaban las dos juntas, quizá fuera el momento más oportuno.

—Como ya sabéis las dos, me he visto envuelta de manera indirecta en el caso de la muerte y el robo en su palacio de la condesa de Dalmau. Ayer mismo, antes de acostarme, me puse a pensar. Todo había pasado tan rápido que no había tenido tiempo de reflexionar. ¿Pueden tener alguna relación los papeles que la condesa me entregó? —preguntó, preocupada— Si es así, tenéis que saber que antes de enterarme de que había muerto, compartí esos extraños dibujos con un grupo de amigos. ¿Podría suponer algún tipo de peligro para ellos? No me perdonaría jamás ponerlos en una situación comprometida. Si existe alguna posibilidad de ello, nos retiramos de inmediato de este asunto. No quiero asumir ningún riesgo, y menos por ellos.

—¡Esa es mi sobrina! —dijo su tía con cierto orgullo.

—Eres muy considerada Rebeca, de verdad que te honra —dijo la inspectora.

—Esta misma mañana, el director del periódico, el señor Fornell, me ha informado que el caso de la condesa estaba a punto de cerrarse.

—Así es —volvió a responder la inspectora, sin inmutarse lo más mínimo. A Rebeca le pareció extraño. Era un tema importante.

—¿Has detenido al culpable? —preguntó, con cierta curiosidad.

—No.

—Entonces, ¿por qué cierras el caso?

—Porque no hay culpable que detener.

—¿Qué estás diciendo? —preguntó Rebeca, completamente perpleja.

Sofía Cabrelles parecía divertida contemplando el evidente desconcierto de Rebeca.

—Cuando estuve en la redacción de tu periódico, tanto mi compañero como yo misma os dijimos que no había que precipitarse, que había que esperar a los resultados del análisis del escenario y a los resultados de la autopsia de la señora condesa, entre otras cosas, antes de emitir ningún juicio de valor. Lo recuerdas, ¿verdad?

—Claro que me acuerdo, pero ¿qué quiere decir inspectora Cabrelles, digo Sofía? —preguntó Rebeca, cada vez más extrañada por la situación.

—Quiero decir que la condesa no murió a consecuencia de ningún robo. Según la autopsia preliminar, la causa de su fallecimiento fue un infarto fulminante, es decir, muerte natural.

Rebeca se quedó mirando a la inspectora, asombrada.

—Pero eso no es una explicación definitiva. Pudo sufrir un infarto a consecuencia del asalto a su palacio y la tensión generada, ¿no?

—Ese es el meollo de la cuestión. No existió tal asalto a su palacio. No había ninguna puerta ni ventana forzada y todos los bienes de la condesa siguen en su sitio, no falta absolutamente nada. No fue un robo. Además, no hay signos de violencia en el cuerpo de la condesa y su posición en el suelo es compatible con la caída por un infarto. Tampoco existe ninguna prueba de que nadie más que la condesa entrara en el palacio, no hay huellas ni ningún otro indicio más que los suyos propios. Ni la puerta ni ninguna ventana mostraba signo alguno de haber sido forzada.

—¿Y las dos cajas fuertes abiertas y vacías?

—Tengo que reconocer que eso fue lo que nos confundió al principio —dijo la inspectora—. Después de su análisis detallado, no hay más huellas en ellas que las de la condesa. Además, como ya he dicho antes, no falta absolutamente nada. Sabemos, por lo que tú misma nos dijiste, que una de las dos cajas fuertes solo contenía los dibujos que te entregó la propia condesa, nada más. Suponemos que la otra caja fuerte estaría vacía.

Rebeca estaba alucinada. No se esperaba para nada lo que estaba escuchando.

—¿Estáis completamente seguras de que no fue un robo, de que no falta nada?

—Completamente. Ayer estuvieron en el palacio sus tres hijos. Después de una prolongada comprobación, nos confirmaron que todo estaba en orden. No observaron nada fuera de lo normal.

—Pero se pudieron olvidar de algo —insistió casi a la desesperada Rebeca—. La condesa poseía demasiadas propiedades como para recordarlas todas de memoria.

—También previmos esa posibilidad. Teníamos el inventario que estaba haciendo para Hacienda, además, resulta que la condesa tenía sus bienes asegurados. La compañía de seguros nos facilitó, ayer mismo, el listado de todos ellos. Los hemos comprobado uno por uno, están todos en el palacio. Sus hijos dicen la verdad, estamos seguros de que no falta nada. Todo coincide.

Rebeca no sabía qué pensar, si aliviarse o preocuparse todavía más.

—Aún no hemos terminado de redactar todos los informes, ni siquiera tenemos la autopsia definitiva, pero comprenderás que, con la información de la que disponemos, en cuanto completemos el expediente, el caso quedará cerrado, y el Juzgado lo archivará. No hay nada que investigar, ya que no existe delito alguno.

Las tres se quedaron un momento en silencio. La revelación de Sofía les había dejado sin palabras.

—Aún falta una sorpresa más —dijo la inspectora, con tono misterioso.

«¿Otra más?», pensó Rebeca. «¿Ahora es cuando me dice que, en realidad, la condesa está viva?»

—Ayer hablé con los tres hijos de la condesa de Dalmau. Les expliqué que su madre te había entregado unos dibujos que contenían una especie de acertijo para que intentaras resolverlos.

Abrió su maletín y extrajo un sobre trasparente. Rebeca lo recordaba, era el mismo dónde introdujo los papeles de la condesa cuando se los incautó en el periódico.

—Los tres están de acuerdo en que te los quedes en préstamo por un tiempo, mientras intentas descifrar lo que quieren decir, si es que tienen algún sentido —. La inspectora extendió el sobre y se lo entregó a Rebeca—. Toma, nosotros ya no los vamos a necesitar, son todos tuyos.

Rebeca se quedó sin palabras. Le pilló completamente desprevenida, no se lo esperaba.

—Gracias Sofía —acertó a decir—. Te lo agradezco de verdad.

Una vez concluida la conversación entre la inspectora y Rebeca, intervino Tote.

—Anda, vamos a comer las tres, que todo este trajín me ha abierto el apetito. Os invito a un sitio que está aquí al lado, que se come de maravilla.

La comisaria estaba de buen humor. De un plumazo se habían desvanecido todas las preocupaciones que tenía sobre la implicación de su sobrina en un homicidio, y además Rebeca había recuperado los dibujos antiguos que le había entregado la difunta condesa, así podría seguir divirtiéndose intentando resolver el acertijo, ya sin amenazas extrañas.

31 19 DE OCTUBRE DE 1390

Samuel estaba sentado en la mesa de estudio de su habitación. Las palabras que le dijo Gabriel le habían dado mucho que pensar.

¿Era posible que su nivel avanzado en los estudios y su elevada inteligencia le estuviera convirtiendo en un niño soberbio? A veces pensaba que lo sabía todo, pero en realidad tenía que reconocer que no sabía casi nada de la vida.

Samuel pensaba que Gabriel tenía razón cuando le recriminaba que apenas tenía doce años y que había muchas cosas que desconocía. Es verdad, había leído muchos libros, pero no todo estaba escrito en ellos, por ejemplo, lo relativo al Gran Consejo. No había leído jamás nada ni siquiera parecido y eso no significaba que no existiera.

«Tengo que ser más prudente, y más modesto. La soberbia no es buena», pensó Samuel, demostrando una madurez muy por encima de su edad. Parecía que se avecinaban malos tiempos para su pueblo, y desde luego la soberbia no le iba a ayudar. Necesitaba tener la mente lúcida y despejada.

«Hice bien en unir a Gabriel a toda esta aventura. A veces te deslumbras y tus ojos no pueden ver con la claridad que, ahora mismo, necesito».

No debía olvidar que era un simple joven que estaba jugando a cosas de mayores.

32 EN LA ACTUALIDAD, JUEVES 3 DE MAYO POR LA TARDE

La comida con su tía y la inspectora Cabrelles, o Sofía, como la llamaba ahora, fue muy divertida. No pararon de contar anécdotas curiosas de sus muchos años de servicio. La verdad es que se lo pasó francamente bien, a pesar de que su cabeza estaba, por momentos, en los dibujos que volvía a tener en su poder.

Antes de empezar la comida, Rebeca había convocado reunión urgente y extraordinaria del *Speaker's Club*. Era el tercer día consecutivo que se iban a reunir. Jamás en los tres años de existencia del club había pasado algo semejante. Rebeca pensaba que el asunto lo merecía. No había explicado el motivo de la convocatoria. «Quien quiera saberlo que venga a la reunión», se dijo a sí misma, divertida.

Cuando terminaron de comer, se despidió de su tía y de la inspectora, le dio las gracias de nuevo, cogió la bicicleta y se fue hacia su casa. Quería darse una buena ducha antes de acudir a la reunión.

Tomó su móvil y mandó un mensaje al director Fornell: «No hay culpable, caso cerrado». Ya hablaría con él mañana y le daría las explicaciones detalladas.

Cuando salió de la ducha, pensó qué ropa ponerse. Hoy le apetecía vestirse bien. Casi siempre iba con vaqueros y una camiseta o blusa, pero hoy quería algo diferente. «Me pondré un vestido de esos que le gustan a Joana, que dice que me sientan de infarto, aunque la verdad es que son bastante incómodos. La combinación de falda corta y escote pronunciado es peligrosa, siempre tengo la sensación de que enseño algo», pensó. «En realidad no creo que se trate únicamente de una sensación, pero qué importa, de vez en cuando tampoco pasa nada. Hoy me toca disfrazarme de

Taylor Swift, que dice mi tía», terminó, riéndose. «Hasta me voy a ondular un poco el pelo».

Se acabó de arreglar, se miró al espejo, dio su aprobación.

«No está mal», pensó.

Hoy no podía coger la bicicleta para ir al *Speaker's Club*. Con el vestido que llevaba y en bicicleta, iba a ser una atracción para todos los viandantes, pensó divertida, así que se encaminó hacia la parada del autobús.

Llegó al *pub* Kilkenny's apenas unos minutos tarde. Entró y se dirigió hacia su rincón habitual. Ya habían llegado algunos miembros.

—Caramba, Rebeca ¡cómo estás! Y no es una pregunta —dijo Charly, en tono de admiración, mirándola de arriba abajo—. Hoy más que nunca sí que eres «Rebona» en lugar de Rebeca —continuó, recordando, entre risas, la broma que le gastaba en el colegio.

—No sé a qué hemos venido, pero ya ha compensado el paseo hasta aquí —dijo Xavier.

Bonet no dijo nada, pero no paraba de mirarla. Rebeca no pudo evitar ruborizarse un poco.

—No hagas caso a esta panda de *Homo erectus*, que parecen recién salidos de su caverna. Rebeca, estás guapísima —le dijo Almu.

—Anda, dejaos de tonterías, que parece que nunca hayáis visto a una mujer —dijo Rebeca.

—Así no —respondió Charly, guiñándole el ojo.

—Bueno, tengo alguna noticia que contaros, pero esperaremos a que lleguen los demás, así no la tengo que repetir —dijo Rebeca.

—Por cómo vas vestida, ¿nos vas a anunciar tu boda? ¿Quién es tu príncipe azul? Vamos, azul o del color que tú quieras, porque últimamente el azul no está muy de moda —dijo entre risas Charly.

—¡Idiota! —contestó Rebeca riéndose también.

Fede entró por la puerta y se dirigió al rincón del club.

—Pero bueno, ¿qué celebramos hoy? —dijo al ver a Rebeca—. Si llego a saber que había que vestirse elegante, me hubiera puesto mi camiseta de los Lakers.

Todos se rieron a carcajadas.

Aún recordaban la cena fin de curso en el colegio. Todos iban vestidos de etiqueta, hasta que apareció Fede con una camiseta del equipo de baloncesto de la NBA Los Ángeles Lakers, que le llegaba por las rodillas, y una gorra colocada al revés. La cara del director cuando lo vio entrar en el salón fue antológica. Antes de que al director le diera un *tabardillo* se la quitó. Debajo llevaba un traje y chaqueta como los demás. Cada vez que recordaban la anécdota aún se reían.

Entre las risas generales, llegó Carmen.

—¡Qué envidia de juventud! —dijo riéndose, cuando vio lo guapa que iba Rebeca.

—Pues mira quién fue a hablar, con un cuerpo diez de gimnasio —le dijo Rebeca.

—Sí, un cuerpo diez y un DNI de cuarenta y seis —le contestó Carmen.

Todos se rieron, pero la verdad es que ya quisieran muchas jovencitas tener el cuerpo que tenía Carmen con su edad.

—Bueno, ya estamos todos. Como había empezado diciendo, tengo algo que contaros ¡Y dejaos de bromas, que no me caso! ¡Por favor, que ni siquiera tengo pareja! —dijo Rebeca, que ya veía venir a Charly.

—Ya sabes que yo te esperaré siempre —dijo Charly lanzándole un beso al aire con teatralidad.

—Ahora en serio —interrumpió Rebeca la burla—. Hoy he ido a visitar a mi tía a la comisaría. Estaba preocupada por el tema de la muerte de la condesa y sus papeles. Pensaba que quizá podríamos estar en peligro, si realmente había un asesino suelto. Quería escuchar su consejo.

—¿En peligro? ¿Nosotros? —preguntó Almu— ¿Por qué piensas eso?

—Bueno, si realmente alguien había matado a la condesa a causa de los dibujos que me dio, podría ser.

—No creo que estemos en peligro, sería una auténtica sorpresa —dijo Bonet.

—Para sorpresa, la persona que me encontré sentada en el despacho de mi tía —dijo Rebeca con cierto misterio.

—¿A la condesa? —preguntó Charly, con su habitual sorna.

—No, idiota —contestó Rebeca sonriendo—. Nada más y nada menos que a la inspectora Cabrelles, que es la que está a cargo de la investigación de la muerte de la condesa, y también la persona que me quitó los dibujos.

—¿Y se los robaste? —preguntó Xavier de inmediato.

Rebeca sonrió ligeramente.

—No hizo falta, me los entregó voluntariamente.

De repente, se formó un pequeño revuelo en el grupo.

—¡Estarás de broma! —exclamó Bonet.

—¡Venga! —dijo Fede.

Todos querían hablar y preguntar a la vez.

—Anda, callaos y dejarme que os explique —dijo Rebeca.

Les contó lo que la inspectora le había relatado. La condesa falleció de muerte natural y no hubo ningún asalto ni ningún robo en el palacio. De hecho, cuando completaran el papeleo, iban a cerrar el caso y el Juzgado lo iba a archivar.

La cara de incredulidad de todos era como para hacerles una foto, pensó Rebeca.

—Ahora podemos investigar lo que nos dé la gana, sin la amenaza de ningún asesino suelto ni ninguna conspiración detrás, porque sencillamente no existen —concluyó Rebeca.

No sabía lo equivocada que estaba.

33 20 DE OCTUBRE DE 1390

Samuel decidió hacer otra visita a Abraham, el bibliotecario de la Sinagoga Mayor. La última vez no había tenido la oportunidad de terminar la conversación, casi tuvo que huir de forma precipitada. No cayó en la cuenta, y le preguntó si era cierto que la situación se iba a complicar mucho próximamente para los judíos. Abraham se había sorprendido y le había preguntado dónde lo había escuchado. Claro, Samuel no se lo podía decir, porque lo había oído en la reunión secreta del Gran Consejo, y no podía hablar con él de ese tema.

Llegó a la sinagoga, cruzó el patio y se dirigió hacia la puerta lateral, dónde estaba la biblioteca. Esta vez se fijó si Abraham estaba en ella. Como siempre, se encontraba sentado en el fondo, leyendo un libro. Levantó la cabeza al oír que alguien entraba.

—Hola, Samuel, qué alegría verte de nuevo.

—Hola, Abraham.

—La última vez que viniste te fuiste con prisas. Casi ni terminamos la conversación.

—Sí, no le había dicho a mi abuela que estaba contigo y se me hizo tarde —mintió Samuel—. Ya te dije que volvería, y aquí estoy. Como verás, cumplo mi palabra.

Abraham se quedó un instante en silencio, observando a su menudo amigo.

—¿Aún te interesa ese fraile cristiano? —le preguntó.

Samuel se puso un poco a la defensiva. No se esperaba que el bibliotecario iniciara la conversación yendo tan al grano. La última vez le había dado la impresión de que no era un tema de su agrado.

—Ya sabes que no me interesa. Simplemente siento cierta curiosidad por él —le respondió.

—Pues me debiste contagiar esa curiosidad. Desde la última vez que viniste a visitarme, he estado preguntando por él. En apariencia es un fanático, nos tiene verdadero odio, pero hay ciertas cuestiones que he averiguado que no me cuadran demasiado con esa apariencia y me han dejado algo desconcertado, lo reconozco.

Samuel se le quedó mirando con curiosidad, esperando que se explicara.

—Para empezar, su médico personal es judío. Es Isach Gabriel, un miembro de nuestra aljama. No me parece muy normal para un fraile cristiano que alardea en público de detestarnos.

Isach Gabriel era el padre de Gabriel. Samuel pensó que su amigo no le había mentido.

Abraham continuó hablando.

—Además, por lo visto, frecuenta nuestra judería. Se le ha visto visitando diferentes viviendas. Tampoco me parece muy normal para una persona que dice odiar a los judíos. No me parece muy coherente.

Samuel seguía escuchando con atención.

—He estado investigando algo. Nació en 1350 en Valencia, en el seno de una familia muy acomodada, y es extremadamente inteligente. Con veintiocho años ya era doctor *cum laude* en Teología. Tiene un prestigio extraordinario entre los suyos y le gusta viajar para difundir sus creencias. Hasta aquí todo es normal, pero hay otras cuestiones que se escapan de lo ordinario. Conoce nuestro idioma y nuestras costumbres en profundidad. Esto es muy extraño para un fraile de la orden de predicadores. Además, parece que fray Vicente Ferrer no es partidario de la violencia contra nuestro pueblo, de hecho, sus hechos indican que la intenta evitar, con conversiones al cristianismo de forma voluntaria. Sus sermones así lo atestiguan, incluso he podido leer alguno de ellos.

—¿Entonces su lema «bautismo o muerte» no es cierto?

—Sí que lo es, pero parece que detrás de ese lema hay muchas cuestiones que desconocemos. La verdad es que me ha dejado desconcertado.

—Es interesante —dijo pensativo Samuel.

—¿Interesante? Es más bien un personaje intrigante y algo enigmático. Desde luego no parece ser cierto todo lo que se dice de él.

Los dos se quedaron por un momento en silencio.

—¿Lo conoces personalmente? —preguntó Samuel, rompiendo el hielo.

—Estuve con él una vez, cuando vino a predicar a la sinagoga, pero apenas crucé dos o tres frases con el fraile.

—¿Qué impresión te causó, crees que es una persona de fiar?

—No lo sé, Samuel, pero tengo la sensación que lo que nos quieren hacer creer con respecto a ese dominico no es verdad, al menos en su totalidad. Su carácter parece conciliador y pacífico. No cuadra con los rumores populares.

—Eso parece.

—Por cierto, no me has contado por qué te interesa ese extraño fraile cristiano.

—Por nada en especial, Abraham. Sabes que soy muy curioso —respondió, lo primero que se le pasó por la cabeza.

—Desde luego que lo eres, muy curioso —dijo, con gesto reflexivo.

«Quizá demasiado», pensó el anciano.

34 EN LA ACTUALIDAD, JUEVES 3 DE MAYO POR LA TARDE

Rebeca volvió a extender los dibujos encima de la mesa, tal y como había hecho hacía dos días. Todos se quedaron mirándolos, también tal y como habían hecho hacía dos días. Y para rematar, les resultaron igual de intrigantes que hacía dos días.

—Últimamente las reuniones del *Speaker's Club* son como una montaña rusa, el martes todos estábamos excitados con la posibilidad de resolver el acertijo, el miércoles nos quedamos sin los papeles y hoy jueves los volvemos a tener. ¿Qué pasará mañana viernes? Ya lo temo —dijo Charly, con su habitual tono bromista.

—Por eso, antes que nada, Rebeca, me vas a permitir que fotografíe los dibujos con mi móvil. Ya no me fío de lo que pueda pasar —dijo Carmen.

Rebeca asintió.

—Ni yo. Adelante, puedes fotografiarlos.

Carmen fotografió los dos dibujos que estaban extendidos sobre la mesa.

—El árbol ese me sigue dando algo de miedo —dijo Almu.

—Me sigue pareciendo todo igual de enigmático que anteayer —dijo Xavier.

—Creo a que todos —dijo Fede.

Carmen estaba mirando en su móvil si las fotos habían quedado bien, si se veían con el detalle adecuado. De repente se quedó observando una de ellas.

—No sé por qué, pero este dibujo me recuerda vagamente a algo —dijo al fin Carmen.

—¿El de los círculos unidos por líneas? —preguntó Bonet.

—Sí, ese. Pero no consigo desenterrar de mi mente el recuerdo asociado a ese dibujo —contestó, que estaba muy concentrada.

—¡Qué bien hablas, Carmen! Yo soy más simple y solo veo eso, círculos, líneas y letras —dijo Xavier—. Nada que desenterrar en mi mente.

—¿Quizá alguna constelación estelar? Es a lo que más se parece —dijo Bonet

—Ya se me ocurrió la primera vez que vimos los dibujos, pero no se corresponde con ninguna conocida, que yo sepa —contestó Charly—. Y os aseguro que conozco las más importantes.

—Igual no tiene ninguna relación con el asunto, pero la sensación de familiaridad de ese *dibujito* es muy fuerte —insistió Carmen.

—Cuando no pienses en ello te vendrá la mente —dijo Almu—. A mí me pasa algunas veces.

—Bueno, ya es tarde y llevamos tres días de auténtico infarto. Vamos a irnos a casa a descansar. Como todos los viernes, mañana tengo tres horas de clase en la Facultad, y no he abierto ni un solo libro en toda la semana —dijo Rebeca.

—Hablando de infartos ¿vas a ir vestida así a la universidad? —preguntó Charly, mirando con cara de pícaro a Rebeca, que iba absolutamente despampanante con su minivestido rojo—. Porque seguro que alguno vas a provocar...

—¡Idiota! —rio Rebeca.

Samuel llegó a casa pensativo. Lo que le había contado Abraham le había dejado desconcertado.

No sabía cómo debía tomarse las conversaciones de su abuelo con fray Vicente Ferrer. Si las visitas del fraile a la aljama tenían como objetivo las conversiones al cristianismo, no entendía cómo iba a ver a su abuelo, que no era una persona cualquiera. Era, nada más y nada menos, que el rabino de Valencia, una gran autoridad talmúdica, sin olvidarnos que también era miembro del Gran Consejo de los diez.

Lo que no terminaba de entender es que hablaran de una nueva vida. «¿Qué nueva vida podría ser esa?», pensaba preocupado Samuel. Tampoco entendía cómo podía encajar el fraile cristiano con los planes de un consejo secreto judío. Por más que pensaba, no le encontraba ninguna explicación coherente.

«Dentro de unos días se celebrará otro Gran Consejo, que parece que será importante. Igual Gabriel y yo averiguamos algo más», se dijo, intentando animarse.

Samuel decidió ponerse a leer algún libro de la *Misnah*. Su abuelo no debía darse cuenta que estaba distraído. Tenía que seguir actuando con total normalidad, aunque le costara bastante.

Su cuerpo estaba sentado en una silla frente a la mesa de estudio, sus ojos estaban posados en el libro, pero su mente estaba en otro lugar.

36 EN LA ACTUALIDAD, VIERNES 4 DE MAYO POR LA MAÑANA

Rebeca se despertó a las siete de la mañana, como todos los días que tenía que ir a la Facultad. Se dio una buena ducha, se vistió y salió a la cocina. Estaba desierta, ni rastro de su tía ni de Joana. Abrió la nevera y se sirvió su habitual vaso de leche fría para desayunar.

Cuando estaba terminando apareció Tote en pijama.

—Hola, tía, qué cara de sueño tienes...

—Buenos días, Rebeca. Ayer me acosté muy tarde, tuvimos bastante lío en la comisaría. Cuando llegué a casa ya estabas dormida.

—Yo también llegué tarde del *Speaker's Club*. Ahora, que tenemos otra vez los dibujos de la condesa, estamos intentando comprender su significado.

—¿Habéis avanzado algo?

—Absolutamente nada. Seguimos igual que antes, no comprendemos nada. Por más vueltas que le damos no conseguimos sacarles ningún sentido.

—Quizá necesitéis ayuda externa.

—Sí, lo he estado pensando. Creo que tienes razón, estamos atascados.

—Ya te dije que podías pedir consejo a Joana. Al ser profesora de la Facultad, igual os puede ayudar.

—Sí, lo comentaré el martes que viene en la reunión del club. Esta semana ha sido la más intensa en la historia del *Speaker's Club* y no creo que nos volvamos a ver. Ya nos toca descansar un poco, que no hemos parado.

Tomó la bicicleta y se fue a la Facultad. El bullicio del aulario casi le pareció un remanso de paz. Entró en clase y apagó el móvil.

«Espero que hoy sea un día más tranquilo que los anteriores», pensó Rebeca.

Complicado.

37 21 DE OCTUBRE DE 1390

En unos días iba a celebrarse la reunión prevista del Gran Consejo y Gabriel estaba de los nervios. Le costaba mucho estar con su madre, hasta tenía la sensación de que la miraba de forma diferente.

«Se va a dar cuenta de que estoy raro», pensaba, «tengo que mentalizarme de que no sé qué pertenece al Gran Consejo».

«¿Y eso cómo se hace?» Era imposible, no lo podría evitar. Cada vez que la miraba se la imaginaba con esa capa negra, con la capucha puesta hablando ante el Gran Consejo, y se ponía todavía más nervioso.

—Gabriel, ayúdame a llevar este bulto a la despensa —le dijo su madre.

—Voy —contestó Gabriel.

El fardo que tenían que llevar estaba envuelto en una tela negra. Su madre cargó con él y, al hacerlo, un pliegue de la tela cayó sobre su cabeza. Gabriel se puso a temblar. Daba la sensación que su madre llevara puesta una capucha negra.

«¡Esto es demasiado!», pensó. Salió corriendo de forma intempestiva hacia su habitación, sin acertar a decir absolutamente nada.

Su madre se le quedó mirando con los ojos como platos, sorprendida por la extraña reacción de su hijo.

—¿Qué haces Gabriel? ¿Te has vuelto tonto de repente? —gritó Mayionam, asombrada por la sorpresiva espantada de su hijo.

No daba crédito.

—Estos niños, en cuanto ven algo de trabajo, enseguida se refugian en sus libros. Mucho estudio y poco músculo —continuó diciendo, mientras cargaba ella sola el fardo y lo llevaba a la despensa—. El próximo bulto que llegue lo llevará él solo, por haberse escapado —dijo enfadada—. No solo hay que estudiar y leer libros, también hay que trabajar.

Gabriel esperó a que su madre desapareciera de la vista. Salió de su cuarto, cruzó el patio y entró en casa de Samuel. Se escondió debajo de la escalera y esperó a que todo estuviera en silencio.

Cuando consideró que no había riesgo de ser descubierto, sin que nadie lo viera, subió hasta su habitación y entró sin llamar. Samuel estaba leyendo un libro.

Se llevó un buen susto.

—Gabriel, ¿qué te pasa? —preguntó sorprendido, al ver entrar a su amigo de forma tan repentina y con la cara desencajada.

—Lo llevo mal, Samuel, pero muy mal. No te puedes ni imaginar la tontería que acabo de hacer.

—Viniendo de ti, me espero cualquier cosa.

Le contó lo que había pasado con su madre.

Samuel se quedó en silencio, mirando la cara descompuesta de su amigo.

Sin poder evitarlo, empezó a reírse como un loco.

Gabriel, que esperaba una buena riña, se quedó desconcertado por la reacción y se rio también, pero de los nervios que tenía.

Debía de tranquilizarse.

38 EN LA ACTUALIDAD, VIERNES 4 DE MAYO A MEDIODÍA

Rebeca salió de la Facultad a las doce y encendió el móvil. Tenía una llamada perdida de Carmen y un mensaje de Alba, la secretaria del director de *La Crónica*.

«¡Fornell otra vez! ¡No puede ser, no me deja tranquila ni por teléfono!», pensó.

Abrió el mensaje de Alba. «Rebeca, el director quiere hablar contigo, pásate por la redacción lo antes que puedas», leyó en voz alta Rebeca.

«¿No me va a dejar en paz nunca? Hoy es viernes, y los viernes no tengo por qué pasarme por el periódico. Es mi día libre», se dijo. De todas maneras, tampoco tenía nada especial que hacer hasta la hora de la comida, así que no perdía nada por acercarse hasta la redacción. Suponía que estaría nervioso con el tema de la condesa.

Cogió la bicicleta y salió hacia *La Crónica*. Entró en el periódico y se encontró de frente con Alba.

—Buenos días, Alba. Sí, ya sé, el director quiere verme urgentemente —dijo con tono claramente sarcástico.

Alba se puso seria.

—No te enfades conmigo, Rebeca. Yo no tengo la culpa de que el director quiera verte. Simplemente soy su secretaria y cumplo con sus instrucciones.

—No me enfado, mujer. Lo único es que llevo una rachita curiosa con el señor director. Esta semana voy a hacer pleno. No es nada normal.

Volvió a recorrer el pasillo por cuarta vez esta semana, llamó a la puerta y entró en el despacho.

—Buenos días, Rebeca.

—Buenos días, director Fornell.

—Disculpa que te haya hecho venir en tu día libre. Recibí tu mensaje acerca del caso de la condesa, pero no lo consigo entender.

«Para eso podía haberme llamado por teléfono», pensó. Empezó a explicarse.

—Ayer estuve comiendo con mi tía y la inspectora Cabrelles, que como recordará, es la que lleva el caso, junto con el inspector Rodrigo, del Grupo de Homicidios.

—Sí, cómo no. Me acuerdo de aquella pareja de cuatreros *robanoticias.*

—Director, ya sabe que... —empezó a decir Rebeca.

—...hacían su trabajo, sí, ya me lo sé —terminó la frase Fornell—. Pero una cosa no quita la otra. Anda, no esperes más, que me tienes intrigado. ¿Quién es el culpable? ¿A quién han detenido?

—A nadie, ya le dije en el mensaje que no había culpable.

—¿Entonces no era cierto que cerraban el caso? —preguntó con cierta emoción, pensando en la noticia.

—Tenía usted razón, el caso va a ser cerrado, lo que ocurre es que no hay ningún culpable que detener.

La cara del director Fornell era todo un poema.

—No te entiendo, Rebeca. ¿Qué quieres decir con ningún culpable? ¿No me digas que se robó ella sola y se asesinó a ella misma?

—Nadie robó nada y nadie asesinó a nadie.

—¿Qué? —dijo Fornell, cada vez más sorprendido.

—Parece ser que la condesa murió de un infarto, según la autopsia preliminar, y tampoco falta nada en el palacio, la policía lo ha comprobado a conciencia. No hay ningún signo de violencia ni ninguna puerta ni ventana forzada.

—¿Y las cajas fuertes abiertas y vacías?

—Pues eso, estarían vacías, no se apreciaba ningún signo extraño en ellas. Tampoco había huellas de otras personas diferentes a las de la propia condesa.

Fornell frunció el ceño.

—¡Pues vaya fastidio! No es lo mismo un asesinato que un infarto —dijo enfadado—. Publicaremos la noticia, pero no va a tener ni la mitad de repercusión que esperaba.

El director se giró y levantó su teléfono, desentendiéndose por completo de Rebeca, que aprovechó para salir del despacho y encaminarse hacia su mesa.

Pensó que, ya que se había tomado la molestia de acudir hasta la redacción, se quedaría hasta la hora de comer.

39 22 DE OCTUBRE DE 1390

Gabriel se despertó más pronto de lo habitual. Después del comportamiento que había tenido ayer con su madre, estaba más nervioso todavía. No le preocupaba el castigo que seguro le iba a imponer, le preocupaba no saber qué decirle. Cualquier explicación iba a sonar completamente ridícula, además que no se lo ocurría nada medianamente coherente que justificara su absurdo comportamiento de ayer.

Estaba tumbado en su cama mirando el techo de la habitación, sumido en sus pensamientos, intentando en vano rebuscar en su cerebro algo que poder decir.

De repente, oyó ruido en el cuarto de sus padres. Le pareció extraño, era muy pronto para despertarse. No era nada habitual.

Abrió un poco la puerta de su habitación y se quedó esperando. No pensaba salir de ella, por nada del mundo quería cruzarse a estas horas de la mañana con su padre, y, menos aún, con su madre. ¡A ver qué le decía! Le daba pavor tan solo pensarlo.

Allí se quedó, al borde de su puerta. Se sentía un poco idiota. Al momento, vio que se abría, pero no salió nadie. Supuso que su padre tendría que visitar a algún paciente. Cuando por fin se abrió completamente la puerta de la habitación de sus padres, Gabriel casi se cae de espaldas.

Aquello no se lo esperaba jamás. Se puso más nervioso todavía de lo que ya lo estaba de por sí.

«¿Qué estoy viendo?», pensó, con la boca completamente abierta.

Se frotó los ojos. «¿Aún estoy dormido?» Se pellizcó. «Pues no, estoy despierto», se dijo Gabriel, dolorido con la marca del pellizco en su antebrazo.

«¿Qué significa esto?», se dijo, muy nervioso.

40 EN LA ACTUALIDAD, VIERNES 4 DE MAYO POR LA TARDE

Rebeca estaba rodeada de libros de Historia en su habitación. En toda la semana no había tenido tiempo de dedicarle ni siquiera una hora a sus estudios, y no podía descuidarlos. De repente escuchó el sonido de un mensaje entrante en su móvil. Por el tono, era del *Speaker's Club*.

«Ya lo miraré después, voy a terminar este tema, si no, me voy a distraer», pensó.

El teléfono continuó sonando. Estaban entrando más mensajes.

«Está claro que no me van a dejar estudiar», se dijo Rebeca con fastidio. Alargó la mano y cogió el móvil.

El primer mensaje era de Carmen, convocaba una reunión del club para esta tarde. «¡No puede ser! ¿Hoy también? ¡Es el cuarto día seguido, no me van a dejar vivir!», pensó Rebeca.

Todos habían confirmado su asistencia, menos Xavier que estaba de viaje de trabajo y Carlota, que continuaba con su madre ingresada en el Hospital.

«¿Y qué pasa si yo no voy?», pensó. Estuvo jugando con esa idea en su mente.

Siguió leyendo los mensajes. Carmen decía que tenía algo importante que contarles. «Me parece que, una vez más, triunfa la curiosidad frente a las obligaciones. ¡Ese es el sino de mi vida!», pensó resignada.

Se levantó de la mesa y se fue hacía su armario para vestirse.

Si no hubiera sido Carmen la convocante, igual no hubiera acudido, no tenía ganas de más club, ya estaba algo saturada. Le apetecía más estudiar que ir al *Speaker's Club*, que ya era decir. Se habían reunido durante toda la semana, pero

Carmen era una persona muy prudente y responsable. Rebeca pensaba que no se atrevería a convocar una reunión del *Speaker's Club* si realmente no tuviera algo realmente importante que decir.

«¿Qué habrá descubierto?»

41 22 DE OCTUBRE DE 1390

Al llegar a la escuela, Gabriel buscó a Samuel de inmediato, y fue casi corriendo hacia él.

—Hola, Samuel.

—Hola, Gabriel, ¿qué te pasa? —dijo, al ver a su amigo con cara de preocupación.

—Esta mañana he sido testigo de una cosa muy extraña en mi casa, no me la explico.

—¡No me digas que te has imaginado a tu madre con otra capucha negra! No habrás hecho otra tontería, ¿verdad?

—No es eso, Samuel. Esta mañana me he despertado muy pronto, no podía dormir. Estaba preocupado porque no sabía qué explicación darle a mi madre por mi comportamiento de ayer. Escuché ruidos en la habitación de mis padres, y me extrañaron, porque era demasiado pronto para que se despertaran.

—¿Y qué? Supongo que tu padre tendría que visitar a algún paciente. En alguna ocasión lo he visto salir de casa muy temprano.

—Eso es lo raro. No fue mi padre el que salió de la habitación.

—¿Y quién fue? —pregunto, ya con cierto interés Samuel, esperándose una respuesta fuera de lo común.

—Fue mi madre.

Samuel soltó una sonora carcajada.

—¡Qué sorpresa más grande! O sea, que te extrañas porque tu madre salga de su habitación. Gabriel, definitivamente no estás bien, me empiezas a preocupar en serio.

—No te burles de mí, que el tema es sorprendente.

—¿Sorprendente? Supongo que era más normal que hubiera salido tu padre, pero ¿qué tiene de misterioso que tu madre salga de la habitación dónde duerme, aunque sea más pronto de lo habitual? Igual tenía que preparar algo para tu padre.

—Nunca he visto a mi madre despertarse tan pronto, pero bueno, supongo que yo tampoco me despierto a esas horas. Lo habría podido hacer más veces sin que yo me enterara.

Samuel no alcanzaba a comprender adónde quería llegar su amigo, pero lo veía aturdido y confuso.

—Gabriel, de verdad, sigo sin entender lo raro de este tema, y me parece que el rarito eres tú. ¿Me debo preocupar por ti? —le dijo a su amigo, mientras lo miraba a los ojos.

Gabriel intentó explicarse.

—Lo realmente extraño no es quién salió de la habitación, sino cómo lo hizo.

—¿Cómo? ¿Volando con una escoba? ¿Ahora me vas a decir que tu madre es una bruja?

—No seas tonto, Samuel. Mi madre se ha ido esta mañana de la judería, ha salido a la ciudad para mezclarse entre los cristianos. Buscaba confundirse entre ellos y que no la reconocieran como judía.

—¿Cómo sabes eso? —preguntó Samuel. Ahora sí estaba intrigado.

—Porque iba vestida con ropaje cristiano muy elegante, casi ni la he reconocido yo mismo. Ha cogido un manto del armario y ha salido por la puerta de casa. Era todavía de noche.

Samuel sabía que los judíos en la aljama de Valencia se solían vestir con una saya larga y lisa, desde el cuello hasta los pies, que podían adornar con diferentes complementos. Las miembros de las familias más acomodadas también acostumbraban a llevar capas y mantos largos, cogidos al cuello.

También sabía que el contacto con la cultura árabe durante varios siglos hizo que los judíos valencianos, al igual que en el resto de la península ibérica, hubieran desarrollado un gusto por el vestuario algo más refinado del habitual en su pueblo. En realidad, dentro de la judería, el vestuario servía de diferenciación entre clases sociales y tan solo estaban sujetos a las normas propias de cada aljama. Sin embargo, cuando salían de la judería, los cristianos exigían poder reconocerlos. Al contrario que pasaba con los árabes, cuyos rasgos físicos eran claramente diferentes, con los judíos no ocurría lo mismo. Su apariencia física era casi idéntica, por ello les obligaban a llevar ropajes especiales con el fin de poder distinguirlos, en concreto «*gramalles longues de draps oscurs, caperons grans en tro a les espatles e ab caguda dobla e ampla, e ab una roda vermella que aporten en lo loch acostumat*». Es decir, ropa oscura y una rueda de color en el pecho. La madre de Gabriel no iba vestida así. Si se había puesto esos ropajes, estaba claro que quería hacerse pasar por una cristiana más.

Samuel estaba pensativo.

—Tenías razón, Gabriel. Eso sí que es raro, muy raro.

—En dos días se celebrará la reunión del Gran Consejo, no sé si tendrá algo que ver —aventuró Gabriel.

—Desde luego debe ser algo muy importante. Ya sabes que, en la actualidad, no tenemos permitido salir de la judería, y todavía menos antes del amanecer. Lo que me extraña es que tu madre debe conocer que los portales de acceso permanecen cerrados y vigilados por la noche. Es muy valiente, se arriesga mucho, dejando de lado que no sé cómo lo consigue.

—Valiente o idiota, no lo sé, pero estoy preocupado por ella.

—Escucha, Gabriel. Tu madre es, nada más y nada menos, una miembro del Gran Consejo de los diez. Forma parte del órgano secreto más importante para nuestro pueblo, según ellos mismos dicen. Aunque para nosotros no es nada seguro salir de los muros de la judería, tu madre sabrá muy bien lo que se hace.

—Eso mismo me digo yo, pero no puedo evitar preocuparme.

—Es normal que estés nervioso, pero estoy seguro de que volverá sana y salva —dijo Samuel, intentando tranquilizar a su amigo, aunque en el fondo tenía que reconocer que era muy extraño.

42 EN LA ACTUALIDAD, VIERNES 4 DE MAYO POR LA TARDE

Rebeca tomó la bicicleta y se fue hacia el *pub* Kilkenny's. Se encaminó hacia su rincón habitual.

—Hola a todos —dijo Rebeca. Habían llegado Almu, Charly y Bonet. Faltaban Carmen y Fede, porque Xavier estaba de viaje y Carlota seguía ocupada con la enfermedad de su madre.

—Buenas tardes, Rebeca. Aún no ha llegado Carmen, la estamos esperando con verdadera curiosidad —dijo Almu—. Es la primera vez que convoca una reunión, debe ser importante.

—No sé si recordaréis, pero ayer, después de hacer las fotos de los dibujos con su móvil, se quedó mirando uno de ellos fijamente —dijo Charly.

—Sí, claro que me acuerdo. Dijo que le recordaba a algo, pero no conseguía desenterrar no sé qué de su mente —dijo Bonet.

Mientras estaban conversando, vieron como Carmen entraba por la puerta del *pub* como un torbellino y se acercó casi corriendo hacia el grupo de amigos. Rebeca se quedó mirándola. «Siempre va peinada de forma impecable y ahora parece que le haya pasado la caballería ligera por su cabeza», pensó divertida, pero también intrigada.

—Hola a todos, traigo novedades con respecto a los dibujos —dijo excitada, a modo de saludo. Miró a su alrededor y vio que faltaba Fede.

—Me espero a que llegue Fede y os explico lo que creo que he descubierto.

—Acaba de enviar un mensaje, está aparcando el coche —dijo Charly.

Rebeca se preocupó por la apariencia de su amiga.

—¿Estás bien, Carmen? Esta tarde pareces un poco alborotada —intentó ser lo más diplomática posible con la pregunta.

—Sí, ya sé que no debo tener un buen aspecto —dijo, tocándose el pelo —pero llevo un día bastante complicado. No he pasado por casa y no me he podido ni peinar.

Mientras tanto llegó Fede.

—Hola, compañeros.

—Bueno, ya estamos todos. Anda, Carmen, cuéntanos qué has averiguado, que estamos muy intrigados —dijo Charly, impaciente y curioso.

—Recordamos muy bien que el martes, la primera vez que viste los dibujos, te quedaste absolutamente sorprendida, literalmente con la boca abierta. Además, ayer nos dijiste que había un dibujo que te era familiar, aunque no sabías el motivo. ¿Tiene algo que ver con lo que nos vas a contar? —preguntó Fede.

—Sí, lo tiene —respondió Carmen.

—Venga, pues empieza ya.

—Como ya os dije, no sabía por qué, pero el dibujo de los círculos unidos por las líneas me recordaba a algo —dijo Carmen—. Anoche cuando llegué a casa imprimí los dibujos a tamaño original. Los extendí en mi cama, y estuve un par de horas mirándolos y mirándolos.

—¿Y? —inquirió Rebeca.

—Y nada. No me vino a la cabeza ninguna idea. Lo único que conseguí fue dormirme pasadas las dos de la madrugada.

Todos se quedaron mirándola, algo desconcertados.

—¿Pero no nos has convocado diciendo que traías novedades? —preguntó Bonet.

—Aún no he terminado —dijo Carmen—. Anoche no se me ocurrió nada, pero esta mañana, nada más despertarme, levanté la cabeza y vi el cuadro que tengo colgado enfrente de mi cama. De repente, lo comprendí todo. ¡No sé cómo se me podía haber pasado por alto una cosa tan evidente para mí! ¡No tengo perdón!

—¿El qué? —dijeron todos.

—Primero os voy a enseñar el cuadro que tengo en mi habitación, a ver si lo comprendéis por vosotros mismos sin mi ayuda —dijo, con cierto misterio.

Desplegó en la mesa un plano.

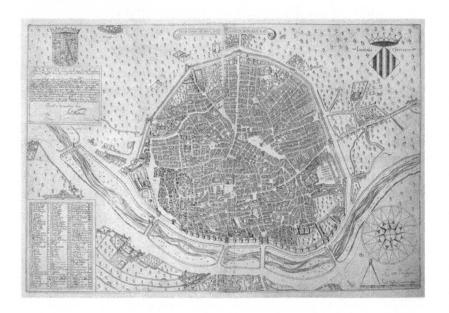

—Sabéis que, por mi trabajo, me apasionan los planos antiguos. Este que os muestro es una reproducción de un plano axonométrico de la Valencia medieval, obra del famoso Antonio Mancelli, que lo realizó cuando estuvo en nuestra ciudad, en 1608. Lo llamó *Nobilis ac regia civitas Valentie in Hispania*. Me gusta tanto que lo tengo enmarcado y colgado enfrente de mi cama. Es una obra maestra de un excelente cartógrafo, no en vano es el plano más antiguo que se conserva de Valencia.

—¿Mancelli? ¿El plano más antiguo no era del padre Tosca? —preguntó Almu.

—Eso se creía hasta hace unos años. El del padre Tosca data de 1704. El de Mancelli es un siglo anterior. Creo que tan solo se conservan dos ejemplares, uno está depositado dónde trabajo, en el archivo municipal y el otro está en la Biblioteca Apostólica Vaticana. Reproduce a la perfección no solo la ciudad, sino su perímetro fortificado con la muralla medieval, construida en la segunda mitad del siglo XIV por el maestro Guillem Nebot. Quiero que os fijéis en la muralla.

Todos se quedaron mirando el plano con detenimiento, intentando comprender qué tenía que ver con los papeles de la condesa.

—Muy bonito y detallado, pero no veo la relación con ninguno de los dibujos —dijo Bonet.

—La verdad es que yo tampoco, por más que lo miro —dijo Rebeca.

—¿Por qué dices que es importante el tema de la muralla medieval? —preguntó con curiosidad Almu.

—Buena pregunta. La respuesta la tenéis delante de vuestras propias narices —contestó Carmen.

—Delante de la mía no —dijo Charly.

—Porque no lo estáis mirando de la manera adecuada. Para asegurarme de que no estaba equivocada, esta mañana lo he consultado con Jaume Andreu, que es un experto medievalista, y me ha confirmado plenamente mis sospechas —dijo Carmen.

—¿Qué sospechas? —preguntó Bonet.

—Para facilitar vuestra comprensión, he impreso el plano de Valencia a la misma escala que uno de los enigmáticos dibujos de la condesa. Como veis, he impreso el dibujo de la condesa en una lámina trasparente. Por separado parece que no tengan ninguna relación, pero si superpones uno sobre otro, de repente se obra la magia —dijo divertida.

Carmen superpuso el dibujo de la condesa sobre el plano de Valencia.

Todos se quedaron atónitos.

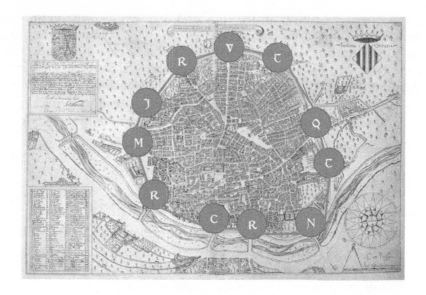

—Ostras, ahora lo veo, ¡cómo no me había dado cuenta antes! —casi gritó Rebeca, pegando un pequeño salto hacia adelante, sin apartar la vista del plano.

—Es increíble —dijo Almu.

—Es más que eso. No puede ser una coincidencia —dijo Charly.

—Os aseguro que no lo es —afirmó con rotundidad Carmen.

43 22 DE OCTUBRE DE 1390

Gabriel estaba estudiando en su cuarto, pero estaba más pendiente de la puerta de su casa. Su madre aún no había regresado y pronto anochecería. Había observado a su padre toda la tarde y se había comportado con absoluta normalidad, como si nada ocurriera.

Gabriel pensaba que, si su padre estaba así de tranquilo, sin demostrar ningún signo de alarma, seguramente sería porque no había motivo para la ansiedad. A pesar de ello, no podía dejar de pensar en su madre. Por otra parte, le había preocupado el gesto de Samuel cuando se lo contó. Hay veces que las expresiones faciales hablaban más que las palabras. Intentó tranquilizarle, aunque su cara lo delató. Estaba inquieto de verdad.

De repente, se oyó un ruido y se abrió la puerta de casa. Gabriel dio un salto levantándose de inmediato de la silla. Su madre estaba entrando en la vivienda. Seguía vestida con esos ropajes cristianos. Respiró profundamente.

«Ha vuelto, menos mal», pensó, muy aliviado.

Gabriel se asomó a hurtadillas por su puerta, no quería que lo vieran. Observó cómo su padre y su madre entraban en la cocina. Salió de su habitación y se quedó quieto, al lado del armario que había junto a la puerta de la cocina.

«Tengo que escuchar lo que vayan a decir», pensó, atrapado por la curiosidad. «Sea lo que sea».

Sus padres se sentaron en la pequeña mesa que había en un extremo de la cocina.

—¿Cómo ha ido? —preguntó su padre—. Cada vez me gusta menos que juegues a los espías.

—No es ningún juego y no te preocupes por mí. He entrado y salido con total normalidad. No he tenido ningún problema, como siempre —dijo su madre.

«¿Cómo siempre?», pensó espantado Gabriel. Eso significaba que no era la primera vez que lo hacía. «¿Y qué querrá decir que juega a los espías?»

Continuó escuchando, atento.

—¿De qué te has enterado? —preguntó su padre.

—Ya ha ocurrido.

—¿Ya?

—Sí.

—¿Estás segura?

—Completamente. De hecho, nos han estado engañando durante todo este tiempo.

—¿Cómo?

—Todo ocurrió el mismo día, pero no dijeron nada. Lo mantuvieron en secreto.

Su padre se tapó la cara con ambas manos.

—Ya sabes lo que esto significa, no hace falta que te lo recuerde — dijo su madre, con la voz quebrada.

De repente, su padre se puso a llorar. Gabriel jamás lo había visto así. No sabía lo que estaba pasando, pero tenía un nudo en su estómago. Su madre se levantó y lo abrazó. Se quedaron así durante un momento, en completo silencio. Gabriel casi se pone a llorar también, contagiado por el ambiente, aunque no alcanzaba a comprender el motivo de la escena que estaba contemplando.

—No te preocupes, todo irá bien —dijo al fin su madre.

—¿Todo irá bien? —dijo su padre, levantando la vista, con los ojos llorosos—. Sabes de sobra que no será así.

44 EN LA ACTUALIDAD, VIERNES 4 DE MAYO POR LA TARDE

El ánimo en el *Speaker's Club* había cambiado por completo. Hoy viernes, por primera vez, tenían una pista para intentar desentrañar el misterio que encerraban los papeles de la condesa fallecida.

—Después del descubrimiento de Carmen, ¿qué hacemos? —preguntó excitado Fede.

—Ahora ya sabemos que las líneas se corresponden con el trazado de la muralla medieval de Valencia y que los puntos son las puertas de acceso, pero seguimos ignorando qué quiere decir todo esto —dijo Rebeca.

—Creo que más que nunca necesitamos ayuda —admitió Carmen—. Yo he descubierto lo que acabáis de ver de verdadera casualidad, porque tengo ese mapa colgado enfrente de mi cama. Almu y Rebeca son estudiantes de Historia, pero a pesar de ello, ninguno de los presentes tenemos conocimientos acerca de murallas y puertas medievales.

—Es verdad, hay que reconocerlo —dijo Rebeca.

—Quizá habría que invitar al *Speaker's Club* a otras personas que nos pudieran ayudar —dijo Almu.

—Es una buena idea —dijo Charly.

—Estoy de acuerdo, es posible que nosotros no nos demos cuenta de detalles que, para una persona con los conocimientos adecuados, serían evidentes —dijo Bonet.

—Oye Carmen, me ha parecido escuchar que antes de venir aquí, le habías enseñado los papeles a un experto de no sé qué, para que te confirmara lo que tú creías haber descubierto, ¿no? —dijo Fede.

—Sí. Le enseñé ambos dibujos a Jaume Andreu. Es un apasionado conocedor de la Valencia histórica.

—Estupendo —dijo Fede.

—Y también es mi jefe en el archivo del Ayuntamiento de Valencia —dijo con un tono pausado.

—¡Tu jefe! Iba a decir que lo podríamos invitar al club, pero claro, seguramente no te apetecerá verlo por aquí —dijo Fede—. Ya lo aguantas todo el día en el trabajo.

—No, no. No me importa, nos llevamos muy bien. Si alguien nos puede ayudar en temas relacionados con la Valencia medieval, es él.

—También podríamos rescatar para el club a Rafael Lunel, ¿os acordáis de él? — dijo Charly.

—¡Claro! —contestó Rebeca—. Rafa estuvo viniendo a algunas reuniones al principio de organizar el club, hace tres años, pero dejó de acudir— ¿Por qué lo quieres volver a llamar? ¿Qué tiene que ver con esto? —preguntó con curiosidad.

—Mi familia y su familia mantenían alguna relación porque vivíamos en la misma urbanización, en La Cruz de Gracia. En ocasiones quedábamos a comer, y el padre de Rafa era una de las máximas autoridades en Historia de las Religiones Antiguas, o algo así. Me parece recordar que su familia era de ascendencia judía, pero no estoy seguro —contestó Charly.

—¿De ascendencia judía? No lo sabía, nunca comentó nada —dijo Almu.

—No me hagas caso. Lo que os estoy contando ocurrió hace tiempo, pero lo que sí recuerdo era que su padre tenía conversaciones con mi padre sobre Historia. Se pasaban horas. Mi padre no era un ignorante en la materia y, sin embargo, me acuerdo perfectamente que me decía que el padre de Rafa era toda una autoridad y, también, que era muy famoso entre los suyos.

—¿Qué ha sido de su vida estos tres años que no hemos sabido de él? —preguntó Rebeca.

—No tengo ni idea. Conservo su teléfono y nos felicitamos por los cumpleaños y esas cosas, pero no lo he visto desde la última vez que vino al *Speaker's Club*. Creo que se echó novia, o al menos eso recuerdo que me dijo la última vez que hablamos.

—Pues llámale e invítalo a reincorporarse al club, toda ayuda será bienvenida, aunque la verdadera ayuda quizá fuera a través de su padre —dijo Rebeca.

—Hay que pensar a quién conocemos que nos pueda ayudar —dijo Fede.

—También podríamos invitar a Joana, nuestra profesora de la Facultad de Historia, ¿no te parece Rebeca? —preguntó Almu.

A pesar de los recelos de Rebeca hacia Joana, ya había decidido darle una oportunidad. Tampoco tenía ningún motivo firme para desconfiar de ella.

—Me parece bien. Cuando llegue a casa hablaré con ella, aunque os advierto que es una persona muy ocupada. No sé si podrá ayudarnos en este tema.

—Si ella no tiene tiempo, a lo mejor sí sabe quién puede hacerlo —dijo Almu.

—Esta noche llamaré a mi jefe y le preguntaré si le apetece unirse al club —decidió Carmen.

—Yo también intentaré contactar con Rafa Lunel, a ver qué me cuenta—dijo Charly.

Se despidieron y se fueron todos a sus casas. Una nueva esperanza se abría ante ellos.

Por fin había llegado el fin de semana. Rebeca pensó que pocas veces lo iba a recibir con tanto entusiasmo. Necesitaba como nunca descansar y desconectar de toda la locura de estos últimos días. Ya estaba bien de reuniones del *Speaker's Club*. A pesar de que se llevaba de maravilla con sus amigos, le apetecía poner su mente en modo avión.

—¿Qué te pasa Gabriel? Te veo mala cara —dijo Samuel, nada más ver entrar a su amigo en la escuela— ¿Ha pasado algo con tu madre?

—No, mi madre volvió sana y salva.

—Entonces, ¿qué es lo que te ocurre? —preguntó Samuel.

Gabriel tenía un gesto de profunda preocupación y una cara de no haber dormido esta noche.

—Mi madre es una especie de espía y mi padre lo sabe.

Samuel se quedó mirando a su amigo, asombrado.

—¿Pero qué tonterías dices?

—Cuando mi madre volvió a casa anoche, se puso a hablar con mi padre y le dijo que había ocurrido algo, que había averiguado que nos habían estado engañando.

—¿Quién y acerca de qué?

—No lo sé. Entonces mi padre se puso a llorar —dijo Gabriel, con la voz quebrada—. Nunca había visto llorar a mi padre.

Samuel no sabía qué decir.

—Bueno, no te preocupes. Supongo que habrá muerto algún paciente cristiano al que le tenían especial afecto. También supongo que eso fue lo que tu madre hizo ayer fuera de la judería.

—No sé por qué, pero no creo que sea eso, Samuel. Mis padres han visto morir a muchas personas. Al fin y al cabo, forma parte de su trabajo. En ocasiones los he visto tristes, muy tristes, pero jamás había visto a mi padre llorar.

—Yo sí que he visto a mi abuelo llorar. No es tan extraño que un hombre llore, no solo es cosa de las plañideras.

—No es por eso Samuel. Tu no estabas allí.

—No estaba, pero me lo puedo imaginar. Mi abuelo y yo perdimos a cuatro familiares muy cercanos, incluyendo a mi padre, en apenas un año. Sabes que yo me quedé huérfano, solo y medio abandonado en Barcelona, cuando tenía seis años recién cumplidos y, aunque me daba cuenta de lo que sucedía, no comprendía las cosas demasiado bien. Sin embargo, vi llorar a mi abuelo como nunca lo había visto. De eso sí que me acuerdo bien, fue verdaderamente desgarrador. Con los años también yo he llorado así.

—Ya sé que tus primeros años en la vida fueron muy duros, Samuel. No pretendo menospreciar tu dolor, pero te aseguro que lo que vi ayer fue diferente a todo que había visto hasta ahora.

Samuel se quedó mirando a su amigo.

—Algo muy malo se acerca Samuel. No sé qué es, pero lo presiento —dijo Gabriel—. Vamos camino de una catástrofe.

46 EN LA ACTUALIDAD, SÁBADO 5 DE MAYO POR LA MAÑANA

Rebeca se despertó tarde. Después de toda una semana de emociones continuas, estaba agotada. Ayer por la noche había llegado muy cansada a casa, y no había visto ni a su tía Tote ni a Joana. No las esperó para cenar, se acostó directamente.

Se levantó de la cama, se puso la ropa deportiva y salió a la cocina. Allí estaban las dos, desayunando tranquilamente. Se sentó con ellas.

—Hola, Rebeca, buenos días —dijo su tía.

—Esta mañana se te han pegado las sábanas, ¿verdad? —preguntó Joana, con una sonrisa en la boca.

—Estoy agotada, ha sido una semana bastante intensa.

—Ni que lo digas —dijo Tote—. Ese club tuyo ha debido de echar humo estos últimos días.

—Me acaba de decir tu tía que has recuperado los papeles de la condesa —comentó Joana—. Ya me ha puesto al día del asunto. Al final, la *señorona* condesa murió de un infarto y los dibujos que te entregó no tienen nada que ver con su muerte. Mucho mejor, todos más tranquilos.

—Eso parece —dijo, aún medio dormida. Abrió la nevera y se sirvió un buen vaso de leche fría.

—¿Habéis avanzado algo? —preguntó Tote.

—La verdad es que sí, tenemos una pequeña pista para seguir investigando.

Les explicó lo que había averiguado Carmen, superponiendo a un mapa de Valencia uno de los dibujos de la condesa.

Joana se mostró emocionada e hizo el gesto de aplaudir con las manos.

—¡Desde luego que es interesante! Muy ingenioso por parte de Carmen. ¿Y ahora qué vais a hacer? —preguntó Joana.

—Precisamente de eso quería hablar contigo. Ayer, en el *Speaker's Club*, nos dimos cuenta que necesitamos ayuda. Ninguno somos expertos en puertas medievales ni nada parecido. Si la investigación nos lleva por ese camino, necesitamos la opinión y el consejo de gente con conocimientos. Hemos pensado en ti, si te apetecería unirte al club.

—¡Caramba, pues claro, sería un honor! Lo que pasa es que no sé si podré ayudaros demasiado. Sabes que mi especialidad es la Historia del Arte, no la Historia Medieval propiamente dicha.

—Seguro que sabes más Historia que todos nosotros juntos.

—¿Habéis pensado en otras personas más especialistas en esa materia en concreto? —preguntó Joana.

—Sí. El jefe de Carmen, que, como sabéis, trabaja en el archivo del Ayuntamiento, parece ser que es un experto medievalista. Creo que llama Jaume Andreu, o algo así.

—Lo conozco, sí, se llama así. Es verdad que sabe mucho de la Valencia medieval. Estuve en una conferencia suya hace un par de años y me gustó bastante. También participé con él en una mesa redonda en la Universidad. Desde luego conoce de lo que habla. Es un experto documentalista, que es su verdadera especialidad.

—También tenemos a un compañero del colegio, que parece que su padre sabe bastante de Historia. Se llama Rafa Lunel.

Joana se levantó de la silla como si tuviera un muelle en el culo.

—¿No será por casualidad el hijo de Abraham Lunel? —preguntó excitada, medio de pie.

—Pues no lo sé, no conozco al padre, solo al hijo. El único que lo ha tratado es Charly, porque vivían en la misma urbanización y compartían algún fin de semana en familia. No te puedo responder.

—Si se trata de Abraham Lunel, es toda una institución en el universo de los historiadores. Posiblemente sea la persona viva con un conocimiento más profundo del mundo hebreo en la Edad Media. Ha escrito varios libros muy interesantes y da conferencias por todo el mundo. No sabía que viviera en Valencia —dijo Joana, que parecía emocionada.

—Realmente nosotros tampoco. Hace tiempo que no tenemos contacto con su hijo y tampoco sabemos si su padre sigue residiendo en Valencia.

—Sería un honor conocerlo. Es una persona muy apreciada y respetada en todo el mundo. No sé si querrá ayudaros, porque tampoco sé si su especialidad es la que necesitáis. Sabe mucho de la Historia de los siglos XII al XV, pero sobre todo relacionada con el mundo hebreo, menos sobre el universo cristiano o musulmán. De todas maneras, si conseguís que acuda a alguna reunión del club, desde luego no me lo pienso perder —dijo entusiasmada Joana.

—Intentaremos contactar con ellos, a ver si pueden venir a la próxima reunión del *Speaker's Club*, que supongo que será el martes que viene.

—Este martes no sé si podré acudir. Tengo que terminar un trabajo y lo llevo muy retrasado. De todas maneras, haré todo lo posible por asistir.

—No te preocupes, tampoco sé quién de los invitados podrá venir. Ten en cuenta que ha sido todo muy precipitado.

Rebeca se levantó de la silla.

—Ahora me voy a hacer algo de deporte. Llevo una semana sin salir a correr y mi cuerpo me pide marcha —dijo, mientras se ataba las zapatillas.

—¡Qué suerte la tuya! —dijo Tote—. Mi cuerpo también me pide marcha, pero tengo que trabajar este fin de semana.

Rebeca abrió *Spotify* en su móvil, seleccionó la lista de reproducción de uno de sus artistas favoritos, Ed Sheeran, y salió de casa en dirección al cauce del río, al ritmo de *Castle on the Hill*.

47 25 DE OCTUBRE DE 1390

Hoy era el día. Había pasado una semana desde el último Gran Consejo, y Samuel recordaba perfectamente que se habían emplazado los diez para esta medianoche.

Estaba preocupado por Gabriel. Los acontecimientos lo habían perturbado en exceso y estaba demasiado nervioso. Debería tranquilizarlo antes de la reunión del Gran Consejo, pero no sabía cómo. No quería que le montara ningún numerito en plena reunión y que fueran descubiertos.

«Estoy seguro de que, si le digo que se calme, se va a poner más nervioso todavía», pensaba Samuel. «Además, ¡cómo lo voy a tranquilizar, si yo también estoy nervioso!»

No sabía si contarle su reunión con Abraham, quizá saber que tenía razón con respecto a fray Vicente Ferrer le tranquilizaría un poco. Samuel no se había terminado de creer a su amigo cuando le contó que el médico del fraile era su padre, pero el anciano bibliotecario se lo había confirmado. Abraham llevaba bastantes años en Valencia y presumía de conocer todo lo que sucedía dentro de los muros de la aljama, e incluso fuera de ellos.

«Quizá cuando salgamos de la escuela podría llevar a Gabriel a verle a la biblioteca. Abraham se alegraría, siempre le gusta recibir visitas. Será bueno intentar pensar en algo diferente al Gran Consejo de esta noche. Nos despejará a ambos», pensó Samuel.

Decidió hacerlo, no perdía nada por intentarlo, y siempre era un placer hablar con Abraham. Además, tenía la excusa perfecta. Gabriel era el hijo de Isach Gabriel, médico personal de fray Vicente Ferrer. Igual Abraham se alegraba de conocerlo y Gabriel se tranquilizaba un poco, que lo necesitaba de verdad. Simplemente el hecho de que conversaran podría ser liberador, sobre todo para su amigo, que debía despejar su mente.

48 EN LA ACTUALIDAD, LUNES 7 DE MAYO POR LA MAÑANA

Rebeca había pasado un fin de semana relajada. Lo necesitaba de verdad. Los acontecimientos de los últimos días la habían dejado agotada. El sábado había salido a correr por el cauce del río y el domingo lo había dedicado a leer y estudiar un poco. Su tía había estado de guardia y Joana estaba preparando un trabajo, así que su casa había sido un remanso de paz y tranquilidad. «Ningún mensaje ni llamada telefónica, ¡qué placer!», pensó Rebeca. «¿Por qué no podría ser así la vida real?»

Pero el fin de semana había terminado, era lunes y el despertador le estaba recordando, con esa insistencia implacable que solo ellos saben hacer, que ya eran las siete de la mañana.

«Me tendré que levantar, hoy tengo dos horas de clase en la Facultad y luego tengo que ir a *La Crónica*», se dijo Rebeca. Esperaba que el director Fornell se hubiera olvidado de ella, como era la costumbre hasta la semana pasada, a consecuencia del asunto de la condesa.

Se vistió, cogió la bicicleta y se encaminó a la Facultad de Geografía e Historia. Como siempre, apagó el móvil y entró en clase. Las dos horas se le pasaron volando.

A las once de la mañana, una vez terminadas las clases, salió del aulario y se dirigió con la bicicleta hacia la redacción de *La Crónica*. Entró por la puerta principal y se encaminó hacia su mesa, con cierto recelo. No veía a Alba, la secretaria del director Fornell, por ningún lado. Parecía que, por fin, la iban a dejar en paz.

Tenía un ejemplar del periódico del sábado encima de su mesa. En la portada, en un lateral, aparecía una pequeña reseña de la muerte de la condesa, que remitía a páginas interiores.

«Un infarto mató a la condesa de Dalmau», decía el titular. Abrió el periódico por la página trece, dónde venía la noticia completa.

La leyó con tranquilidad. Era una pequeña biografía de la condesa y de su marido. También informaba la noticia que había visitado el periódico el mismo día de su muerte, pero no hacía ninguna referencia a los dibujos que le había entregado en esa misma entrevista.

«¡Qué raro que el director Fornell no haya intentado sacar partido de los papeles de la condesa!» Supuso que ya habría perdido el interés por la noticia, después de que ni fuera un asesinato ni un robo. Sin lugar a dudas, un infarto no tenía el *glamour* de un crimen, era bastante más vulgar.

«Mucho mejor para mí», se dijo, aunque no podría evitar estar un tanto sorprendida. Pensaba que, a pesar de todo, aún conservaría cierto aliciente por ellos.

Rebeca decidió centrarse en su próximo artículo, tenía que decidir acerca de qué escribir.

Abrió el cajón de su mesa. Ahí guardaba sus notas sobre relatos históricos curiosos, que nutrían su sección en el periódico. Recordaba que tenía tres carpetas, con apuntes ya bastante avanzados. Metió la mano en el cajón para sacarlas, pero no encontró nada.

«¿Qué pasa aquí?», pensó Rebeca, ya dirigiendo su mirada al interior del cajón.

Estaba completamente vacío.

«No puede ser, estoy segura de que las carpetas estaban aquí», pensó extrañada.

Levantó la vista y se dirigió a su compañera de mesa, con la que compartían el espacio.

—Escucha, Tere, ¿has visto las carpetas que había dentro de mi cajón? ¿Por casualidad las has cogido tú para algo?

—No, Rebeca. No te he cogido nada más que este lápiz. Se te había caído dentro de la cajonera, pero no me he fijado en nada más. Ahora te lo devuelvo —contestó Teresa.

—No te preocupes por el lápiz, Tere. ¿Has visto a alguien abrir mi cajón?

—Tampoco. Estando yo aquí sentada nadie ha abierto ese cajón, ni siquiera he visto a nadie que tocara o se acercara a tu mesa.

—¡Qué raro! Voy a preguntarle al director Fornell. Con todo este lío de la condesa, igual ha sido él.

—Ya sabes lo que te va a contestar —le dijo Tere, con una sonrisa.

Se dirigió a la mesa de Alba, su secretaria, pero estaba vacía. Decidió acudir, en cualquier caso, al despacho del director Fornell. Así lo hizo. Llamó a la puerta, y escuchó una voz desde el interior del despacho que gritaba «adelante».

Entró en el despacho del director. Este alzó la vista y pareció algo sorprendido al ver entrar a Rebeca.

—¿Qué pasa? ¿Hoy me echabas de menos tú a mí?

Rebeca sonrió.

—Buenos días, director Fornell. En realidad venía porque esta mañana, al llegar a mi mesa, he buscado en mi cajón tres carpetas que tenía guardadas para escribir el artículo de mi sección. Para mi sorpresa, mi cajón estaba completamente vacío —dijo con el tono más educado posible. No quería dar la impresión que estaba acusando al director de nada.

—¿Y qué? —preguntó Fornell, fingiendo indiferencia.

—Con todo este lío de la condesa, simplemente era por si usted había visto mis expedientes.

—Jamás hurgo en los cajones ni en las mesas de mis redactores —mintió el director. Rebeca sabía de sobra que sí que lo hacía, pero, en este caso, no tenía ninguna prueba contra Fornell y no quiso seguir insistiendo. Tampoco tenía tanta importancia.

—No se preocupe, ya me imaginaba que no sabría nada, solo era por descartar opciones. Han sido unos días muy locos con el asunto de la condesa.

—Desde luego. Por cierto, ¿leíste el artículo que sacamos en la edición del sábado?

—Sí, lo he leído esta mañana.

—¿Y qué te ha parecido?

—Es un buen resumen de la vida y obras de los condes, aunque tengo que reconocer que me ha sorprendido una cuestión, que no hiciera ninguna referencia a los dibujos que la condesa nos entregó en la visita que nos hizo antes de su muerte. Siempre tuve la impresión de que estaba muy interesado en ellos.

—Y lo estaba, pero esa pareja de *robocops* nos los quitaron ¿Para qué iba a citarlos en el artículo si no los tenemos? ¿De qué hubiera servido?

Rebeca cayó en la cuenta de que el director no sabía que la inspectora Cabrelles le había devuelto los dibujos. Cuando estuvo el viernes en la redacción no se lo dijo. De momento, decidió que siguiera así. «Será mi pequeño secreto», se dijo. «Además, no quiero darle motivos para que me haga escribir algún artículo fantástico sobre el misterio de los condes o algo así».

49 25 DE OCTUBRE DE 1390

En un descanso de la escuela, Samuel apartó del grupo a Gabriel y le dijo que no se fuera a casa cuando terminaran las clases, que quería llevarlo a un lugar.

—¿Qué lugar? No me asustes Samuel, que ya estoy bastante nervioso con la reunión del Gran Consejo de esta noche.

—No te preocupes, es todo lo contrario. Quiero que conozcas a una persona que seguro que le apetece saber de ti.

Cuando terminaron las clases en la escuela, Gabriel se dirigió hacia Samuel.

—¿Dónde quieres llevarme? Me tienes nervioso.

—Aquí mismo, Gabriel, no te inquietes. Lo que tienes que hacer es relajarte un poco, que lo necesitas de verdad.

—Eso es muy fácil decirlo.

Salieron de la escuela al patio de la sinagoga y entraron en la biblioteca, que, como casi siempre, estaba medio en penumbra. Abraham estaba sentado en su mesa habitual, al fondo de la sala, junto al gran armario.

—Hola, Abraham —dijo Samuel.

El bibliotecario levantó la vista.

—Hola, Samuel, ¿cómo estás? Vaya, veo que hoy vienes acompañado.

—Te presento a Gabriel, compañero de la escuela. Es el hijo de Isach Gabriel, médico de la aljama.

—Caramba, así que tú eres el famoso Gabriel. Anda, acércate que te vea bien.

—Hola, señor bibliotecario —acertó a decir Gabriel, algo intimidado, mientras se aproximaba a su mesa con cierto temor.

—Llámame Abraham, como todo el mundo lo hace. Conozco a tu padre Isach y a tu madre Mayionam, desde hace muchos años. Son grandes profesionales y mejores personas. Les tengo un respeto y aprecio especial.

Gabriel no sabía qué decir.

—Nunca había estado en su biblioteca —dijo al fin.

—Pues muy mal. Los niños, a vuestras edades, tienen que leer mucho —dijo Abraham dirigiéndose a ambos—. No es que tengamos muchos libros, pero algo es algo.

Samuel no quiso perder más tiempo e introdujo el tema que deseaba tratar. Se dirigió al bibliotecario.

—Gabriel me dijo que, en una ocasión, estuvo en casa de fray Vicente Ferrer. Yo no lo quise creer hasta que tú me confirmaste que Isach, el padre de Gabriel, era su médico personal.

Abraham, de repente, pareció interesado.

—Caramba, ¿así que saliste de la judería, nada más y nada menos, que para visitar al fray en su propia casa?

—Sí.

—¿Y qué tal fue la experiencia?

—Solo fui a acompañar a mi padre porque mi madre no podía venir. El fraile tenía fiebres y me limité a ayudar a mi padre a aplicarle unos paños fríos.

—¿Y qué te pareció su casa?

—Me imaginaba que viviría en algún palacio, pero no. Su casa era parecida a la nuestra, quizá algo más grande, pero bastante modesta para un cristiano de su posición social y religiosa. Me esperaba algo más parecido a una casona. Estaba llena de manuscritos. Nos dijo que viajaba bastante, por eso no tenía tiempo de ordenar nada.

—Es verdad, viaja bastante —confirmó Abraham— ¿No os dijo nada más ni a ti ni a tu padre?

—No recuerdo nada más, ya han pasado algunos años y entonces yo era un niño —dijo Gabriel, un poco a la defensiva.

—Es muy interesante que tu padre trate a pacientes cristianos, supongo que se enterará de muchas cosas. Mientras trata sus dolencias, supongo que hablarán de temas de actualidad.

—La verdad es que no lo sé, mi padre no me cuenta nada. Yo no lo suelo acompañar. Cuando necesita ayuda, es mi madre la que le asiste.

—Mayionam. Tienes por madre a una gran mujer.

—Sí, eso me dicen todos.

—Presta valiosos servicios a la aljama, como tu padre lo hace.

Abraham se levantó de la mesa.

—Bueno, pues encantado de haberte conocido, Gabriel. Es un honor que el hijo de Isach y Mayionam me haga una visita. Tu padre viene de vez en cuando y charlamos sobre su cofradía *Talmud y Torah*. Además de un gran maestre médico, no hay que olvidar que también es un gran conocedor del *Talmud*. Siempre es un placer hablar con él e intercambiar opiniones.

—Muchas gracias, Abraham- Le diré a mi padre que lo he conocido —se despidió Gabriel.

—Y a tu madre también, no te olvides.

—Volveremos a hacerte alguna visita —se despidió también Samuel, mientras salían de la biblioteca hacia el patio de la sinagoga.

En cuanto abandonaron la sala, Abraham se giró hacia el mueble que se apoyaba en la pared del fondo de la biblioteca.

—¿Qué te ha parecido? —preguntó el bibliotecario, dirigiéndose hacia la penumbra. Allí no parecía haber nadie.

—La verdad es que no sé qué pensar, Abraham —le respondió una voz, desde la oscuridad.

—No creo que sepan nada, tan solo son dos niños curiosos —dijo en tono tranquilizador el bibliotecario—. Recuerda, a sus edades nosotros éramos igual.

—Lo que me preocupa es el repentino interés por el fraile, precisamente en estos momentos tan delicados —dijo el anciano—. Me siento incómodo con las casualidades.

Ambos se quedaron en silencio, pensativos y también, por qué no decirlo, algo preocupados.

50 EN LA ACTUALIDAD, LUNES 7 DE MAYO A MEDIODÍA

Rebeca llegó a casa con apetito. Se fue directamente a la cocina. Estaba desierta, ni Joana ni su tía parecía que estaban en casa. No tenía ganas de cocinar, así que se preparó un *sándwich* de pavo y queso chédar, y se sirvió un generoso vaso de leche.

Le prestó atención al móvil. En toda la mañana no lo había mirado. Entre las clases en la Facultad y tener que empezar a reconstruir la información que le había desaparecido del cajón de su mesa, había estado bastante ocupada.

Tenía muchos mensajes en el grupo del *Speaker's Club*. Carmen confirmaba que su jefe en los archivos del Ayuntamiento, Jaume Andreu, acudiría a la reunión de mañana martes.

«Bien», pensó Rebeca, «ya tenemos uno».

Charly comentaba que no había podido localizar a Rafa Lunel. Le había llamado, pero no le había contestado. Le había dejado un mensaje, y suponía que le devolvería la llamada en cuanto lo viera.

Xavier no tenía claro si podría llegar a tiempo a la reunión de mañana. Estaba en Murcia y no sabía cuándo volvería. Ya había faltado a la última por el mismo motivo, viajes de trabajo.

La madre de Carlota había salido del hospital. Rebeca se alegró mucho, aunque parecía que tampoco podría venir a la reunión del martes. Tenía muchas ganas de verla, ya hacía casi un mes que no acudía a las reuniones del *Speaker's Club* y se notaba su ausencia.

Carlota Penella era la artista del grupo, era una especie de mujer del renacimiento. Pintaba muy bien, también esculpía, y además administraba un *blog* de tendencias artísticas muy comentado, al margen de una cuenta de Instagram con *tropecientos* mil seguidores. También había publicado dos libros.

Sin ninguna duda, lo que más le gustaba de Carlota era que siempre veía las cosas desde un punto de vista diferente a los demás, con una simplicidad verdaderamente compleja, aunque suene a antítesis. Debajo de ese pelo pelirrojo, se escondía una mente prodigiosa e imprevisible. A Rebeca le encantaba su compañía, además de extremadamente inteligente, también era extremadamente divertida. Se lo pasaban muy bien juntas, eran almas gemelas. Este último mes la había echado de menos en bastantes ocasiones.

Rebeca pensó que les vendría muy bien su punto de vista y sus ideas originales. Esperaba que su madre mejorara lo suficiente para que se pudiera reincorporar al *Speaker's Club*.

Se tumbó en el sillón del salón y se encendió la televisión. Tocaba relajarse un poco, por la tarde se pondría a estudiar. No era nada habitual en ella, pero se quedó dormida.

25 DE OCTUBRE DE 1390

Samuel y Gabriel salieron de la biblioteca de la Sinagoga Mayor.

—Abraham es un buen hombre, siempre es agradable hablar con él —dijo Samuel.

—Pues a mí me ha intimidado un poco —dijo Gabriel.

—¿Por qué? —le preguntó extrañado su amigo.

—¿No te has dado cuenta? ¿Esa biblioteca? ¿No te parece extraño que esté tan oscura y que casi nunca haya nadie?

—Bueno, no es un lugar muy popular que digamos...

—No me entiendes. Que haya poca gente aún tiene un pase, al fin y al cabo, como tú dices, no es un sitio especialmente popular, pero ¿dónde se ha visto una biblioteca sin apenas luz? Si la miras en su conjunto, desde luego no parece una biblioteca real. Parece otra cosa más tétrica. No sé, a mí me ha impresionado un poco.

—Se te notaba algo incómodo, pero lo he achacado a que no conocías a Abraham. También impresiona él, junto con el resto de la biblioteca. Es un anciano muy sabio, pero tengo que reconocerte que tiene cierto toque de misterio.

—¿Cierto toque? —sonrió Gabriel—. Te quedas muy corto. Más que un bibliotecario, parece otra cosa.

A Samuel le daba igual lo que pensara Gabriel, con tal de que apartara de su mente la reunión del Gran Consejo, simplemente quería distraerlo. Aparentemente lo había conseguido. Parecía menos tenso.

—Sí, la verdad es que nunca me lo había planteado, pero sí que es algo raro —intentó tranquilizarlo dándole la razón.

—No me extrañaría que tuviera algo que ver con el Gran Consejo.

A Samuel le llamó la atención ese comentario.

—¿Por qué me haces esa pregunta tan extraña?

—Ya veo que no te has dado cuenta. El ambiente que se respiraba era muy tenebroso, además, sería la tapadera perfecta para alguna actividad clandestina —dijo con algo de misterio Gabriel—. Un lugar público y al mismo tiempo muy poco concurrido, además a la vista de todos, en el mismo corazón de la aljama.

—Gabriel, dices auténticas tonterías. La biblioteca es muy anterior a la existencia del Gran Consejo.

—¡Vaya tontería acabas de decir tú! —le replicó—. El Gran Consejo se acaba de crear.

Samuel se desesperó, no quería que su amigo pensara en ello y no lo estaba consiguiendo.

—Gabriel, tu mente está revolucionada. Ya solo falta que veas conspiraciones en la biblioteca del bueno de Abraham. Anda, vente a comer a mi casa. Mi abuelo no llegará hasta esta tarde, ya que tiene clase con unos alumnos. Así no verás a tu madre antes de la reunión, que no quiero que me organices ningún espectáculo más. Con uno ya fue suficiente.

—Está bien, a ver si me tranquilizo un poco, pero acuérdate de lo que te he dicho de la biblioteca, ahí pasa algo extraño.

—¡Cállate y vámonos a comer, que tu mente no para de cavilar cosas raras! —dijo Samuel, empujando a Gabriel y riéndose.

De todas maneras, Samuel tenía que reconocer que el punto de vista de su amigo no carecía de cierta lógica.

52 EN LA ACTUALIDAD, MARTES 8 DE MAYO A MEDIODÍA

«Esta tarde es la reunión del *Speaker's Club*», pensó Rebeca. Después del frenesí de la semana pasada, ya lo echaba de menos.

La mañana se le pasó volando en el periódico. Terminó el artículo que tenía pendiente, después de reconstruirlo desde el principio. Lo entregó para su publicación en la edición de mañana de *La Crónica*.

Al final le había costado algo más de tiempo, pero tampoco había sido una tragedia la desaparición de las carpetas de su cajón. Rebeca no entendía a quién le podían interesar sus notas, porque no tenían ninguna relevancia.

Miró el móvil. No había ninguna novedad importante, Charly aún no había conseguido localizar a Rafa Lunel. Tenía un mensaje de Almu, preguntándole si le apetecía comer en la Facultad de Historia y luego estudiar en la biblioteca. No era precisamente un plan apasionante, pero le contestó que sí. Tenía que ponerse al día con los estudios. Los tenía un tanto descuidados y el final del curso estaba a la vuelta de la esquina.

Quedaron en el bar de costumbre, en la avenida Blasco Ibáñez, justo enfrente de la Facultad, regentado por una familia de simpáticos chinos.

Llegó primero Rebeca y se sentó en la mesa pegada a la ventana. Era el lugar dónde había más luz de todo el local.

Cuando llegó Almu se saludaron, y se pidieron el menú del día, que estaba muy rico. Había que reconocer que la mujer a cargo de la cocina tenía buena mano.

—¿Has avanzado algo con respecto a los papeles de la condesa? —preguntó Almu.

—Nada, no he tenido tiempo, he estado bastante ocupada. Algún bromista me quitó del cajón de mi mesa del periódico todas las notas que tenía escritas, para tres artículos que preparaba.

Almu se sobresaltó.

—¿Te han robado algo relacionado con los dibujos de la condesa?

—No, de eso no me ha desaparecido nada porque los llevo siempre encima y jamás los dejo en la redacción.

—¿No podría ser que la persona que te ha quitado esas carpetas pensara que, dentro de ellas, podrían estar los documentos y por eso se las llevó?

—¿Dentro del periódico? ¿Quién?

—No lo sé, Rebeca, pero no estoy tranquila. Ya sé que la condesa falleció de muerte natural y no hay ningún asesino suelto, pero presiento que algo no está como debiera.

«¿Algo no está cómo debiera?», se repitió mentalmente Rebeca. Tenía que reconocer que ella también tenía esa misma sensación incómoda, sobre todo a raíz de la desaparición de sus carpetas.

Almu estaba inquieta de verdad. Desde que ambas se conocieron, cuando apenas tenían seis años de edad, siempre había destacado por su debilidad de carácter, al contrario que Rebeca, pero, sin embargo, desde dos personalidades muy dispares, tenían la misma sensación con este tema.

—Es curioso, yo siento lo mismo —le respondió.

—Quizá podrías pedirle a tu tía el informe policial del caso de la condesa. Igual su lectura nos tranquiliza y nos terminamos de convencer de que todo está en orden —dijo Almu.

Rebeca asintió. Parecía una buena idea y quizá les distrajera la mente. En cuanto la viera, se lo pediría. Era cierto que conocer los datos objetivos recopilados por la Policía les podría tranquilizar, y lo necesitaban.

¿Tranquilizar?

53 25 DE OCTUBRE DE 1390

Samuel y Gabriel comieron con tranquilidad, hablando de temas que nada tenían que ver con el Gran Consejo, distendidos y tranquilos. Cuando terminaron, Samuel le dijo a su abuela que salían a dar una vuelta, pero cuando llegaron a la puerta se lo pensaron mejor. Esta noche era la reunión y aún no habían hablado acerca de cómo se iban a organizar en esta ocasión.

Subieron a la habitación de Samuel y se sentaron.

—Ante todo, tenemos que estar muy tranquilos, no debemos ponernos nerviosos —dijo Samuel, mirando severamente a su amigo. Estaba preocupado por sus últimas reacciones. No los podían descubrir por una imprudencia suya.

—Eso es fácil decirlo, pero difícil hacerlo, te lo aseguro —contesto Gabriel.

—Claro que no es fácil, pero ya hemos asistido juntos a dos reuniones, se puede decir que casi somos veteranos del Gran Consejo —dijo Samuel sonriendo, intentando quitar importancia al tema.

De repente, escucharon abrirse y cerrarse la puerta de casa.

—Parece que tu abuelo ha llegado —dijo Gabriel.

Escucharon dos voces masculinas.

Samuel se preocupó, su abuelo venía a casa acompañado por otra persona. Cuando se quiso dar cuenta, Gabriel ya se había asomado a la puerta, a ver si podía vislumbrar al acompañante, y estaba bajando las escaleras con sigilo. Samuel estaba espantado.

—¿Dónde vas? ¡Vuelve! —susurró Samuel.

—¿Y si es otra vez el fraile? —dijo Gabriel.

Samuel no tuvo otra opción que salir detrás de su amigo, no le había dejado alternativa. Se acurrucaron en el armario que estaba enfrente de la puerta de la cocina. Su abuelo y su invitado estaban dentro.

Los podían oír, pero no ver. «Suficiente», pensó Gabriel, ante la cara de espanto de Samuel.

El abuelo de Samuel preguntó a su mujer si los niños estaban en casa. La abuela contestó que no, que habían salido a dar una vuelta.

Ambos amigos se quedaron mirando.

—Claro, le habíamos dicho a tu abuela que nos íbamos. No nos habrá visto subir a tu habitación después de la conversación —dijo Gabriel.

—¿Y por qué preguntará mi abuelo si estamos en casa? —dijo Samuel, extrañado— Eso, ¿qué le puede importar?

—Sí que es algo raro. Por eso vamos a callarnos y escuchar lo que dicen.

La conversación ya se había iniciado.

—Sabes que estamos preocupados por tu nieto, y también por el hijo de Isach y Mayionam —dijo el acompañante.

Ambos reconocieron de inmediato esa voz. Se quedaron petrificados.

Gabriel se quedó mirando a Samuel. A pesar de sus esfuerzos, no se pudo contener.

—¡Te lo dije! —exclamó emocionado y también algo sorprendido.

Ahora, el que estaba asustado de verdad era Samuel.

54 EN LA ACTUALIDAD, MARTES 8 DE MAYO POR LA TARDE

Almu y Rebeca salieron de la biblioteca a las seis y media, tomaron las bicicletas y se encaminaron hacia el *pub* Kilkenny's. Llegaron un poco antes de las siete y se dirigieron a su rincón de costumbre.

Ya estaban sentados en la mesa Charly, Fede y Bonet.

—Hola a todos —dijeron Almu y Rebeca.

—Hola, pareja.

—¿Aún no ha llegado Carmen y su jefe? —preguntó Almu.

—No, todavía no —contestó Fede.

—Al final, ¿has podido localizar a Rafa Lunel? —preguntó Rebeca, dirigiéndose a Charly.

—Imposible. Le he llamado como siete veces y siempre salta el contestador. Le he dejado grabados varios mensajes en su buzón de voz.

—Supongo que dará señales de vida, en cuanto los escuche —dijo Rebeca, positiva.

—Buenas tardes.

—¡Hombre, Xavier! No te esperábamos. ¿No nos habías dicho que estabas en Murcia? —preguntó Fede.

—Tú lo has dicho, estaba. Acabo de llegar y he venido directamente al *pub*. No he pasado ni por casa, y eso que vivo justo ahí enfrente.

En ese momento vieron entrar por la puerta a Carmen, acompañada de un señor más mayor que ella, con el pelo canoso. Tenía todo el aspecto de un bibliotecario, hasta llevaba puestas las típicas gafas redondas y pequeñas, que ya estaban más que pasadas de moda.

«Es Harry Potter con sesenta años, solo le falta la cicatriz de Voldemort», pensó divertida Rebeca, que era una fanática de la saga de J.K. Rowling.

Carmen introdujo a su acompañante.

—Buenas tardes, chicas y chicos, os presento a Jaume Andreu, la persona de la que os había hablado y mi jefe en el ayuntamiento.

Cada uno de ellos se fue presentando, estrechándole la mano. Le dieron la bienvenida de forma oficial al *Speaker's Club* con la tradicional pinta de *Murphy's Irish Red*. La cerveza irlandesa de Cork era una institución en el club. Todas las personas que asistían por primera vez a una reunión tenían que beber una de ellas, luego ya se podían pedir lo que quisieran. Todos brindaron con la típica palabra en gaélico irlandés *sláinte*, que se pronunciaba algo así como *slon-cha*.

Jaume les sorprendió con un *what's the craic?*, que es una expresión típica irlandesa que viene a significar ¿qué tal?

Todos se quedaron mirándole, asombrados. Tan solo era conocida por los irlandeses auténticos. Jaume se lo explicó.

—Mi anterior pareja era irlandesa y viví entre Limerick y Galway, en la costa oeste de Irlanda, una buena temporada. Casi se puede decir que soy medio celta. Me conozco todos los pubs de aquella zona. Es el paraíso.

—Entonces sabrás más de cervezas que nosotros, no tenemos que explicarte nada —dijo riéndose Xavier.

Rebeca le hizo una breve introducción acerca del tema de la condesa, aunque Carmen ya le había puesto en antecedentes. Jaume había visto las fotografías de los dibujos en la pequeña pantalla de su móvil, pero no los originales.

—¿Puedo? —preguntó.

Entre todos limpiaron la mesa, quitaron las pintas de cerveza, y Rebeca extendió los papeles.

Jaume se quedó mirándolos, en completo silencio. Cogió el plano de la ciudad que había utilizado Carmen, y superpuso el dibujo de los círculos y las líneas, tal y como hicieron ellos la semana pasada. Siguió ensimismado. Nadie se atrevía a hablar para no interrumpirle en sus pensamientos, fueran los que fuesen. Así estuvo durante unos interminables tres o cuatro minutos.

Después de la pausa, parece que volvió a la vida.

—Es absolutamente sorprendente —dijo, al fin.

—¿Qué ves? —preguntó Carmen.

—Muchas cosas y todas muy interesantes —contestó Jaume, que parecía emocionado.

«¿En serio ve muchas cosas?», pensó Rebeca. «¿Nos toma el pelo? Pues yo veo lo mismo que la semana pasada».

55 25 DE OCTUBRE DE 1390

Samuel y Gabriel ya no sabían cómo ponerse. El armario era lo suficientemente grande para los dos, pero estaban en un rincón, apretados entre sí. La situación era muy incómoda, tanto físicamente como en sus pensamientos, que hervían fuera de control

—¿Qué hace Abraham el bibliotecario en mi casa? —preguntó sorprendido Samuel— ¡Y además están hablando de nosotros!

—¡Ya te lo había dicho! ¡La biblioteca oculta algo! —exclamó Gabriel.

—Sigues con tu obsesión. Mi abuelo es buen amigo de Abraham. No es tan raro que le haga una visita.

—¿Cuántas veces lo has visto en tu casa?

Samuel se quedó un par de segundos en silencio, antes de responder.

—La verdad es que ninguna.

—¿Ves cómo tengo razón? No es normal.

—Vamos a escuchar lo qué dicen —dijo Samuel, cortando la discusión. No le gustaba el cariz que estaba tomando.

La conversación ya se había iniciado.

—Van haciendo preguntas por ahí —escucharon decir a Abraham.

—Ya sabes que mi nieto siempre ha sido muy curioso.

—Escucha, Isaac. Si algo le ocurre a tu nieto, a estas alturas de los acontecimientos, estamos todos muertos. No hace falta que te recuerde lo importante que es para los diez y para el árbol. Posiblemente él sea el único que nos pueda salvar de la catástrofe que se avecina. Así está escrito.

—Lo sé, no te creas que no lo recuerdo. No me deja dormir.

—Esta noche tenéis reunión del Gran Consejo. Ya sabes lo que ha pasado y también conoces lo que pasará a partir de ahora.

—Sí, soy plenamente consciente. No hace falta que me lo vuelvas a decir.

—Luego está el hijo de Isach y Mayionam, Gabriel le llaman —dijo el bibliotecario.

«¿Qué pasa conmigo?», pensó Gabriel, sobresaltándose al oír su nombre.

Isaac permaneció en silencio.

—Sabes que, por decisión del número siete, también desempeñará un papel importante cuando nos vayamos. No deberían andar juntos a todas partes, por su seguridad y por la nuestra —dijo Abraham.

Gabriel se quedó blanco.

—El número siete es mi madre —dijo— ¿Tendré un papel importante cuando nos vayamos? ¿Adónde nos tenemos que ir?

—¿Y de qué catástrofe hablan? ¿Y yo los tengo que salvar? ¡Pero si no tengo ni idea de nada! —dijo Samuel, cada vez más agobiado.

—Cállate y sigamos escuchando, a ver si entendemos algo.

Prestaron de nuevo atención a la conversación.

—Habrá que tomar ciertas medidas —escucharon decir a Abraham—. Hemos de proteger el árbol y la Sinagoga Mayor por encima de todo.

—Pero no creo que ni mi nieto ni el hijo de Mayionam supongan ningún peligro para nosotros. Son unos jóvenes inocentes.

—Conozco a tu nieto y hoy he conocido a Gabriel. Son inteligentes y perspicaces, se les nota a la legua. No cometamos el error de infravalorarlos, son perfectamente capaces de comprender todo.

Samuel y Gabriel estaban pasmados.

—¿Nos habrán descubierto? La última vez fuimos un poco descuidados con el escondite que elegimos. Aquel andamio no estaba muy protegido —dijo Samuel.

Gabriel se quedó mirando a su amigo.

—Quizá, pero eso no es lo más importante que hemos escuchado. ¿No te das cuenta de que se confirman mis sospechas sobre la biblioteca de la Sinagoga Mayor?

Samuel estaba hecho un lío, ya no sabía qué pensar.

56 EN LA ACTUALIDAD, MARTES 8 DE MAYO POR LA TARDE

Jaume Andreu notó siete miradas que le estaban observando fijamente, como un grupo de lobos acecha a su inocente víctima.

—¡Caramba, sí que tenéis curiosidad por lo que os pueda contar! —dijo sonriendo—. Como no empiece pronto sois capaces de devorarme.

Rebeca vio que se acercaba una cara conocida hacia ellos, levantando la mano.

—¡Joana! Al final has podido venir, me alegro mucho —dijo Rebeca—. Chicas y chicos, os presento a Joana, profesora de Almu y mía en la Facultad de Historia, y también mi tía consorte.

Almu y Jaume ya la conocían, y todos los demás se presentaron. Repitieron el ritual con la cerveza *Murphy's Irish Red.*

Joana les advirtió cuando vio aquel vaso enorme delante de ella.

—Apenas bebo alcohol, así que si digo tonterías no me las tengáis en cuenta —dijo, antes de hacer el brindis oficial.

—No creo que se note demasiado, aquí todos decimos tonterías constantemente —dijo Charly sonriendo—. Bueno, todos menos Carmen —recalcó.

La aludida le tiró un posavasos a la cabeza, que casi cae en la mesa de al lado. Todos se rieron.

—Cuidado, Carmen, que está tu jefe delante, no muestres tu lado salvaje e indómito —dijo Fede guiñándole el ojo.

—Ese lado, si acaso lo tuviera, solo lo muestro en el gimnasio. Bueno, y también cuando pienso en mi ex —contestó riéndose.

Rebeca intentó poner un poco de orden.

—Chicos, no nos despistemos y volvamos a nuestro tema. Jaume estaba a punto de decirnos qué cosas ha averiguado, después del primer examen de los dibujos.

Todos los ojos del *Speaker's Club* volvieron a mirar a Jaume con extrema curiosidad.

—Así es —dijo—. Joana, ¿quieres echarles un vistazo antes de que os cuente lo que he descubierto?

Joana se quedó mirando el plano de Valencia con el dibujo de la condesa superpuesto. Desde luego que era sorprendente. No podía ser casual. También observó las iniciales al lado de cada punto. Al principio le costó verlo, pero enseguida cayó en la cuenta. Se mostró asombrada.

—¡Claro! —gritó.

Todos se sobresaltaron por la inesperada reacción.

—Por supuesto, igual de claro que la *Murphy's Red*, que es tostada —dijo Fede, en tono de broma, que no había entendido nada.

—Jaume, anda, cuéntales —dijo Joana con interés—. Es verdaderamente interesante.

—Allá voy.

—Preparaos para descubrir lo inesperado —dijo Joana, que estaba emocionada.

57 25 DE OCTUBRE DE 1390

Abraham se había ido y su abuelo había entrado en el salón. Samuel y Gabriel se quedaron dentro del armario.

—Escucha, si pretendías tranquilizarme trayéndome a comer a tu casa, te confirmo oficialmente que no lo has conseguido —dijo Gabriel.

—¿Quién se iba a imaginar que iba a pasar esto? —se defendió Samuel.

—Estoy atacado de los nervios.

—Y yo. Ahora ya no lo puedo ni disimular.

—¿Qué hacemos? —preguntó Gabriel.

—Prepararnos para esta noche. Está claro que algo importante va a ocurrir. Debemos de estar en el sitio adecuado, para poder escuchar toda la reunión del Gran Consejo.

—¿Dentro de la sinagoga o en las ventanas, como la última vez?

—Las ventanas igual las han arreglado ya, además los andamios están muy expuestos. Tendremos que escondernos entre los asientos, los más alejados de la llama eterna. Vamos, en el lugar de costumbre, en la penúltima fila. No es el sitio perfecto, pero quizá sea la zona de más penumbra de toda la sinagoga.

—Yo también prefiero esconderme dentro de la sinagoga, las ventanas están muy altas y me asusta mirar hacia abajo.

—Pues entonces ya lo hemos decidido. Quedamos en el mismo lugar de costumbre, en la esquina de la carnicería, pero esta vez un poco más pronto. Iremos por separado, por seguridad. Esta tarde intentaremos no hacer nada fuera de lo normal, puede que nos estén vigilando. Habrá que tener un cuidado especial, recuerda la conversación que hemos escuchado dentro del armario —dijo Samuel—. No sabemos lo que conocen de nosotros, y eso me inquieta.

No podía evitar sentirse intranquilo.

Las cosas se estaban complicando.

58 EN LA ACTUALIDAD, MARTES 8 DE MAYO POR LA TARDE

Jaume Andreu comenzó a hablar, ahora ya sin interrupciones. Tenía un auditorio completamente entregado y expectante.

—Lo primero que debo deciros es que los documentos son originales y auténticos, y tienen al menos seis siglos de antigüedad, sin perjuicio de que se pueda hacer un estudio más riguroso con los medios adecuados.

—¡Seis siglos! —dijo Rebeca—. No pensaba que fueran tan antiguos.

—¿Cómo lo puedes saber con tanta seguridad, sin hacer ninguna prueba técnica como con el radioisótopo carbono 14? — preguntó Bonet.

—Ahora lo comprenderéis. Antes que nada, tengo que explicaros una serie de cuestiones históricas previas, porque si no, no vais a entender mis razonamientos. No quiero dar una conferencia ni una clase magistral. Si me pongo muy pesado, me lo decís y pararé —dijo Jaume.

Todos le miraban con expectación.

—¿Cómo vais de conocimientos de Historia? Joana, Rebeca y Almudena ya sabemos que los tienen, pero ¿y los demás? — preguntó.

—Nivel básico tirando a lamentable —contesto Charly.

—Yo directamente no tengo ni nivel —dijo Fede—. Habla para niños de primaria.

Los demás asintieron con la cabeza.

«Yo los tendré, pero no me entero de nada de todo esto», pensó Rebeca, sin atreverse a decir nada.

—No os preocupéis, empezaré por el principio de los principios. Igual os cuento cosas que ya conocéis —dijo Jaume—, aunque nunca viene mal recordarlos.

—Mejor —dijo Xavier.

Jaume inició su exposición.

—Valencia fue fundada por los romanos, allá por el año 138 antes de Cristo, aunque se han encontrado vestigios anteriores. Probablemente formara parte de alguna ruta comercial, antes de que los romanos se establecieran y fundaran la ciudad. Para que os hagáis una idea, el centro de la ciudad romana estaría situado en el entorno de la plaza de la Virgen. O sea, a apenas a doscientos metros de dónde estamos ahora mismo, de este *pub*.

—¿Existen restos de aquello? —preguntó Fede.

—Claro, los más interesantes están en el centro arqueológico de La Almoina, detrás de la plaza de la Virgen. Si no los conocéis, os recomiendo su visita, son impresionantes. Pero existen numerosos restos romanos diseminados por toda la ciudad, por ejemplo, una cornisa del circo romano dentro del palacio del Marqués de Caro, dónde también se conserva un fragmento de un mosaico, que es el suelo más antiguo que se conoce en la ciudad. Ahora creo que es un hotel. También hay restos en la catedral, sobre todo en la parte subterránea, sin olvidar las lápidas que se pueden ver por diferentes partes de la ciudad, por ejemplo, en la propia fachada de la basílica de la Virgen de los Desamparados o en la calle Trinquete de los Caballeros. Incluso en esa misma calle se puede ver parte de la *spina* del circo romano, que era el muro central, en concreto en el conjunto de la iglesia de San Juan del Hospital.

—Muy curioso, no sabía que hubiera tantos restos romanos —dijo Bonet.

—Si queréis, algún día podríamos organizar una visita guiada. Está todo muy cerca de aquí y es verdaderamente apasionante —dijo Joana.

—De las murallas romanas se conservan también algunos vestigios, por ejemplo, en la calle Avellanas o la torre norte de la muralla en el solar entre las calles Salvador y Viciana — continuó Jaume.

—¿Se pueden visitar? —preguntó Xavier.

—Más que visitar, se pueden ver. Tened en cuenta que están muy deterioradas —contestó Joana.

Jaume Andreu continuó su relato.

—La ciudad pasó por diferentes vicisitudes durante los siguientes siglos, incluso un periodo de dominación visigoda, hasta que, a principios del siglo VIII, se produjo la conquista de la ciudad por los árabes. A pesar de lo que muchos creen, la ciudad no prosperó demasiado hasta el siglo XI, casi cuatrocientos años después. Fue entonces cuando se construyó la muralla árabe, de la cual se conservan muchos restos en la *Ciutat Vella*, en el centro histórico. Esta muralla tenía siete puertas.

—Siete —dijo Charly.

—Sí, en la muralla árabe. Como veréis, ya voy introduciendo el concepto de *puertas*, para que estéis atentos a mi explicación y no os durmáis.

—Pero esas no son las puertas a las que se refieren los dibujos de la condesa, ¿no? —preguntó Bonet.

—No seas impaciente, aún no he llegado ahí, pero ya falta poco. La dominación musulmana en Valencia terminó el año 1238, con la conquista de la ciudad por el rey Jaime I, que fundó el Reino de Valencia.

—¿Pero el Cid Campeador no estuvo antes? —preguntó Fede.

—Muy bien, Fede. Veo que permaneces despierto. Efectivamente, Rodrigo Díaz de Vivar conquistó Valencia el año 1094, pero falleció apenas cinco años después, y su esposa, doña Jimena, solo pudo conservarla hasta el año 1102. Volvió a ser reconquistada por los almorávides.

—¡Ah! Ya lo tengo claro.

—Bueno, vuelvo al rey Jaime I. Cuando toma Valencia, se encuentra con unas tierras muy poco pobladas, además los escasos habitantes que había eran, en su mayoría, musulmanes. Algunos huyen, otros se convierten al cristianismo, pero al rey conquistador le interesa repoblar sus tierras con gente que no tenga ascendencia árabe. Así, reparte tierras y propiedades entre gente venida desde Aragón, Cataluña, Francia e incluso del norte de África y territorios más lejanos, que se establecieron por todo el Reino de Valencia.

—Muy interesante, pero aún no veo qué relación tiene todo esto con los dibujos de la condesa —dijo Xavier.

—No seas impaciente, quiero que comprendáis el marco histórico. ¿Estoy siendo muy pesado? —preguntó Jaume.

—No te preocupes, la explicación está siendo muy amena —dijo Rebeca.

—Durante un siglo convivieron más o menos en paz, en el Reino de Valencia, repobladores de diferentes procedencias, culturas e incluso religiones, cristianos, judíos y musulmanes. Con el inicio del siglo XIV, las cosas se complicaron un poco para las minorías religiosas, sobre todo por la intransigencia de la Iglesia católica y también por diferentes cuestiones sociales. Esto que os estoy contando se puede aplicar, en general, para el resto de la Corona de Aragón y el Reino de Castilla.

Jaume hizo una pequeña pausa para refrescarse un poco, dándole un trago a su pinta de *Murphy's*.

—Joana, ¿voy bien? —preguntó Jaume.

—Te explicas de maravilla. Nos tienes a todos enganchados a tu relato.

—Bueno, pues ahora, por fin, viene la parte importante y trascendente. Estáis a punto de comprender lo sustancial —dijo Jaume, con un tono solemne—. Hasta ahora, tan solo os he preparado para lo verdaderamente significativo.

Todos estaban expectantes. La atención en el *Speaker's Club* era máxima.

Ninguno recordaba una reunión tan interesante.

59 **25 DE OCTUBRE DE 1390**

Samuel y Gabriel se vieron en la esquina de la carnicería, tal y como habían quedado.

—¿Cómo estás? —preguntó Samuel.

—Mejor no quieras saberlo —contestó Gabriel, que estaba hecho un flan de los nervios acumulados.

Se encaminaron hacia la sinagoga, que estaba justo al lado de la carnicería. Entraron, cruzaron el patio y se asomaron al interior. No había nadie, todo estaba en silencio.

—Hemos llegado demasiado pronto —apuntó Samuel.

—Lo prefiero así, aún me acuerdo de las prisas de la última vez.

Echaron un vistazo general a la sinagoga. Como siempre, estaba en penumbra, tan solo débilmente iluminada por la *ner tamid*.

—Vamos a escondernos en nuestro lugar habitual —dijo Gabriel.

Anduvieron hasta la penúltima fila de asientos, en la parte más alejada de la llama eterna, y se sentaron en el suelo.

—Ahora a esperar que vayan llegando los miembros del Gran Consejo. Supongo que no tardarán, ya debe ser casi medianoche —dijo Samuel.

—Estoy preocupado por lo que hemos escuchado hace un rato en tu casa. Las dos reuniones anteriores del Gran Consejo siempre han tenido un tono muy pesimista. Da la impresión que nos encaminamos hacia algo muy malo. No paran de repetirlo una y otra vez,

—Eso parece, es verdad que lo hemos escuchado muchas veces en las reuniones. Pero tengo confianza en el Gran Consejo. Piensa que llevan más de treinta años preparándose para lo que está a punto de suceder, sea lo que sea —dijo Samuel, intentando animar a Gabriel, y, de paso, a él mismo también.

—Aún estoy medio traumatizado por lo que pasó entre mi madre y mi padre. Te aseguro que aquello no fue normal.

En el fondo Samuel sabía que Gabriel tenía razón, pero no quería reconocerlo. Solo faltaba que lo pusiera más nervioso.

Se quedaron en silencio. No se escuchaba nada ni a nadie en la sinagoga, ni siquiera a las ratas, habituales moradoras de aquel espacio.

—Oye, ¿no tardan mucho en venir? —preguntó Gabriel intranquilo.

—Supongo que hoy hemos llegado más pronto de lo habitual —contestó Samuel—. Estarán a punto de entrar los primeros miembros.

De repente, escucharon un pequeño ruido cerca de la puerta de entrada. Se quedaron en completo silencio. Samuel se asomó por encima de los asientos.

Nada.

Parecía que había sido una alarma infundada, aunque ambos lo habían escuchado.

—¿Y si nos levantamos del todo y miramos bien? —preguntó Gabriel.

—¿Y si entran en el momento que nos levantemos?

—Podemos ir por la parte izquierda de la sinagoga, dónde no alcanza la luz de la *ner tamid*. Si escuchamos algo, nos podemos escabullir hasta dónde estamos ahora, antes de que entren.

—Esperemos un momento más y, si no entra nadie, salimos a ver. Deben de estar a punto de llegar.

El silencio era atronador.

—Vamos —dijo Samuel al fin—. Con mucho cuidado y siempre pegados a la pared izquierda. Si escuchamos algo, nos tiramos del brazo y volvemos por el mismo camino que hemos venido, sin correr ni hacer ruido, ¿lo comprendes? Nada de locuras.

Se levantaron del suelo y se encaminaron hacia la parte izquierda de la sinagoga. Con la espalda pegada en la pared, fueron andando muy poco a poco hasta llegar a la puerta.

Nada.

—¡Qué extraño! —exclamó Samuel.

—Aquí no hay ningún movimiento y ya debe pasar de la medianoche.

—¿Cómo puede ser? El Gran Consejo era hoy.

—¿Y si han cambiado el lugar de celebración?

Samuel se quedó blanco.

—¿Es posible que nos hayan descubierto y, como medida de precaución, hayan acordado reunirse en otro lugar diferente a la sinagoga? —preguntó nervioso.

Gabriel estaba pensando exactamente lo mismo.

—Estamos fastidiados, nos han descubierto seguro. En este momento ya no sabremos qué es lo que va a pasar de aquí en adelante.

«Esto es malo, muy malo», pensó Samuel.

«¿Y ahora qué haremos?».

60 EN LA ACTUALIDAD, MARTES 8 DE MAYO POR LA TARDE

—Venga, Jaume. Ahora que viene lo importante, no te quedes callado — dijo Xavier—. Te aseguro que somos capaces de atacarte, si nos obligas. Somos como una manada de lobos.

Jaume sonrió. Todo el *Speaker's Club* estaba pendiente de sus explicaciones.

—No será necesario, Xavier. Vamos allá. Como ya os había comentado antes, Valencia, en el momento de la conquista por Jaime I en 1238, estaba rodeada por una muralla de origen árabe desde el siglo XI, que tenía siete puertas. A mediados del siglo XIV la ciudad había desbordado la muralla, además tenía nuevas necesidades defensivas. No olvidemos que, en estos años, Aragón y Castilla estaban en plena guerra. Así, el rey Pedro IV de Aragón, más conocido por el sobrenombre de *El Ceremonioso*, ordenó construir otra muralla, pero sin derribar la árabe, que formaba otro círculo defensivo interior. La construcción empezó el año 1356.

—Supongo que una obra de esta envergadura llevaría mucho tiempo terminarla —dijo Fede.

—No te creas, la completaron en unos catorce años, que, para los patrones de la época, fue un tiempo de ejecución muy corto. De hecho, probablemente debido a la rapidez de su construcción, nació con numerosos defectos estructurales que obligaron a repararla posteriormente.

Joana intervino en la explicación.

—Pensad que la llamada *Guerra de los Pedros*, porque el rey de Castilla también se llamaba Pedro, igual que el aragonés, obligó a acelerar la construcción de la muralla, con urgentes fines defensivos —dijo—. La ciudad estaba un tanto desprotegida. Como ya os ha comentado Jaume, la muralla árabe se había quedado desfasada y obsoleta.

—Efectivamente, Joana. Y ahora vamos a lo importante. El plano que observamos encima de la mesa, que tiene colgado mi compañera Carmen en su habitación, con evidente buen gusto, se corresponde con esta muralla. Como ya hemos visto, una vez superpuesto el dibujo de la condesa, observamos que las líneas se corresponden con los límites de la ciudad, y los puntos con cada una de las puertas de la muralla cristiana.

—Sí, para nuestra gran sorpresa, ya lo advertimos la semana pasada —dijo Rebeca.

—Os recuerdo que la muralla cristiana de Valencia tenía cuatro *portals grans* y ocho *portals xics*. Aunque con el tiempo se abrieron otras puertas, casi siempre por cuestiones comerciales, tuvieron menor importancia. Así, los *portals grans* eran el portal dels **R**oters, la Porta de la **M**ar, el portal de Sant **V**icent y la porta de **Q**uart. Los *portals xics* eran el portal **N**ou, el portal dels **C**atalans, la porta del **R**eal, el portal dels **J**ueus, el portal de **R**ussafa, el portal de **T**orrent, el portal de **S**etze Claus y el portal dels **T**ints.

— Las doce puertas —dijo Rebeca.

—Así es. Hasta aquí, tampoco he descubierto nada que no se supiera. Ahora viene lo importante de verdad —dijo Jaume.

Todos se quedaron esperando que continuara su explicación. Estaban muy interesados.

—Si observáis el dibujo de la condesa, cada círculo tiene una inicial, que se corresponde exactamente con la inicial del nombre de la puerta de la muralla cristiana.

Todos se quedaron mirando el dibujo, ahora con una especial atención.

—Es verdad, no me había dado cuenta —dijo Rebeca.

—¡Es imperdonable que no me haya percatado de ese detalle tan evidente! —dijo enfadada consigo misma Carmen.

Joana sí que había advertido el detalle de las iniciales, cuando había visto el plano con el dibujo de la condesa superpuesto.

—Y a partir de estas iniciales, podemos datar el dibujo de la condesa entre los años 1390 y 1392, en definitiva, a finales del siglo XIV —dijo triunfal Jaume—, sin necesidad de radioisótopos, simplemente recurriendo a la Historia.

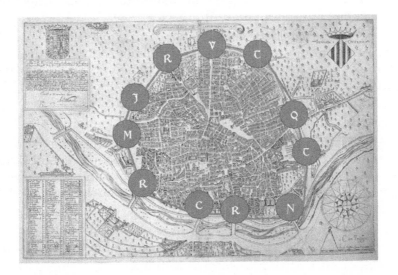

Se hizo un pequeño silencio en el club. No comprendían cómo podía datar el dibujo con semejante exactitud, con tan solo mirarlo.

—¿De qué manera llegas a esa conclusión? —preguntó Rebeca, extrañada—. No te sigo en el razonamiento.

Joana tenía cara de póker. Ese grado de precisión no se lo esperaba. Estaba completamente descolocada, esta vez no lo había visto venir.

—La explicación es más simple de lo que suponéis. El portal Nou no se empezó a construir como tal hasta 1390, por lo que el dibujo no pudo hacerse antes de esa fecha. Y ahora fijaros en el portal dels Roters, ya no existe con ese nombre. Se sustituyó en 1392 por las Torres de Serranos, tal y como se conservan hoy en día. Así que el dibujo tuvo que hacerse antes de 1392, porque si no la inicial no hubiera sido la **R** de Roters, sino la **S** de Serranos — dijo con tono didáctico.

Todos estaban callados, absolutamente pendientes de las explicaciones de Jaume.

—En consecuencia, el dibujo de la condesa se hizo entre 1390 y 1392. Me atrevería a fijar la fecha, con más precisión, en el año 1391 —concluyó Jaume, triunfal.

Joana rompió su silencio.

—Fantástico, me has dejado sin palabras. Tu razonamiento es impecable, enhorabuena Jaume.

—Ahora, otra deducción. Por mi experiencia con documentos antiguos, por las referencias a las murallas cristianas, por las características del papel y por el tipo de escritura, estoy seguro de que se trata de un documento de procedencia cristiana.

—Supongo que es lo más lógico —admitió Joana.

—Además, no perdamos de vista el otro dibujo, parece que representa al árbol de la vida cristiano, que aparece nombrado en el Génesis, que como todos sabéis, es un libro que forma parte de la Biblia. Incluso para los católicos, los frutos del árbol son el Cuerpo y la Sangre de Cristo.

—Sí, eso me ha parecido a mí también —confirmó Joana.

Carmen estaba sorprendentemente callada. Tenía un gesto de duda en su rostro. ¿No estaría plenamente de acuerdo con su jefe?

—Lo que no sé qué relación o conexión puede tener al árbol con todo lo demás, pero parece que confirma la procedencia cristiana de los dibujos —concluyó Jaume.

Había un gran ambiente en el *Speaker's Club*. Tenían la impresión que habían dado un gran paso adelante hacia la resolución del misterio que encerraban los documentos de la condesa. Estaban emocionados.

«Caramba con Jaume Andreu, alias Harry Potter», pensó Rebeca. Con esa pinta de poca cosa los había dejado a todos impresionados. «*"Draco dormiens nunquam titillandus"*, nunca hagas cosquillas a un dragón dormido». Era el lema de Hogwarts, la escuela mágica de Potter. Le venía al pelo.

Samuel y Gabriel se encontraron en la escuela. No estaban de buen humor precisamente.

—Ahora ya no nos vamos a enterar de nada —dijo enfadado Gabriel.

— Supongo que no, pero si ambos vamos a formar parte del plan, sea el que sea, en algún momento nos lo tendrán que contar, ¿no? —razonó Samuel.

—No quiero esperar a que los señores encapuchados se dignen a informarme. Me hubiera gustado averiguarlo por mí mismo. Estar a merced de otros no es una cosa que me resulte agradable.

—Ni a mí, pero nos han descubierto y no hay vuelta atrás.

Gabriel se quedó mirando a su amigo. Lucía una extraña sonrisa en su rostro.

—Bueno, Siempre podemos investigar y vigilar su centro de operaciones.

—¿Qué dices? —dijo absolutamente extrañado Samuel—. Eso no existe.

—Y tanto que existe, ¿no te imaginas dónde está? —preguntó con una sonrisa Gabriel.

—No me lo imagino, no.

—Pues en la misteriosa biblioteca de Abraham, por supuesto. Es el lugar perfecto.

—¡Gabriel! —grito Samuel, riendo— Cuando se te mete una idea entre ceja y ceja, no paras. ¡Mira que eres maniático!

—¿Maniático? ¿No escuchaste lo que le dijo Abraham a tu abuelo?

—Lo escuché exactamente igual que tú, pero no llego a las mismas conclusiones. Tu mente vuela sola.

—No me pienso quedar parado, te anticipo que echaré un vistazo. Voy a averiguar qué es lo que ocurre en la biblioteca. Cuando lo haga, te tendrás que postrar ante mis pies y reconocer que tenía razón.

—No hagas ninguna tontería, Gabriel, que nos conocemos. Abraham es una buena persona. No le metas en ningún lío, ni tú tampoco lo hagas —le advirtió.

Samuel no quería ni imaginarse qué pretendía hacer su amigo.

62 EN LA ACTUALIDAD, MARTES 8 DE MAYO POR LA TARDE

Rebeca no compartía del todo la emoción de los miembros del *Speaker's Club*. Sí, tenía que reconocer que habían hecho un avance significativo. «Pero ¿y ahora qué?», se preguntaba.

Después de la esclarecedora explicación de Jaume Andreu, parecía que ya habían resuelto lo qué significaba uno de los dibujos de la condesa, y hasta lo habían fechado con una sorprendente precisión.

—¿Cómo continuamos? ¿Qué se supone que tenemos que hacer ahora? —preguntó Rebeca.

—Pues no lo sé —reconoció Jaume—. La verdad es que no quedan demasiados restos de las doce puertas de la muralla medieval cristiana de la primera época. Hay que tener en cuenta que las dos que están muy bien conservadas y que todos conocemos, las Torres de Quart y las Torres de Serranos, se construyeron después de la fecha en que se elaboró ese dibujo, así que supongo que no nos sirven para nuestra investigación.

—Quedan restos del *portal dels Jueus*, están en la plaza de los Pinazo —dijo Joana—. Cuando construyeron el metro los sacaron a la luz y los dejaron al aire libre. Se pueden visitar, aunque tampoco hay gran cosa que ver, la verdad.

—Sí, quizá sean los únicos restos originales de una puerta de esa época —dijo Jaume.

—Pues estamos apañados, ¿cómo vamos a progresar si apenas queda nada de ninguna puerta del año 1391? —preguntó Rebeca, desanimada.

Los miembros del *Speaker's Club* estaban en silencio. No sabían cómo podían utilizar la información que Jaume les había proporcionado.

—Quizá resolviendo el otro dibujo, por ejemplo —dijo Joana, intentando ser positiva.

—Pero nos acaba de decir Jaume que no tiene ni idea qué relación podría haber entre ellos. Parece que uno representa el árbol de la vida cristiano y el otro las doce puertas de la muralla medieval. ¿Qué tienen en común, más allá de su origen? —preguntó con cierto pesimismo Rebeca—. Lo que tampoco nos dice gran cosa. Me temo que estamos ante un callejón, o mejor dicho, una puerta, sin salida.

—No seas tan negativa. Tampoco sabíamos lo que significaban los círculos, las líneas y las letras y ya lo hemos averiguado. Poco a poco estamos avanzando —dijo Joana, con un punto de optimismo.

—No digo que no, pero quizá necesite otro enfoque a todo este asunto. Está claro que necesito más información. Parece que la pista de las puertas conduce a una vía casi muerta —dijo Rebeca.

—Lo importante es que estamos progresando —insistió Joana—. No hay que venirse abajo.

«Como Harry Potter no nos haga un hechizo para que aparezca un portal medieval del año 1391, no sé cómo vamos a avanzar más, si apenas quedan restos originales», pensó

Rebeca, aún divertida por el parecido entre Jaume Andreu y el mago. En algunas ocasiones tenía que hacer verdaderos esfuerzos para no reírse, cuando lo miraba de frente.

Se despidieron todos del *Speaker's Club*. Hoy había sido una jornada muy larga.

63   25 DE OCTUBRE DE 1390

—¿Qué hacíais anoche escondidos en la sinagoga?

Samuel y Gabriel se sobresaltaron de inmediato. ¿Quién les decía eso? Se giraron y vieron a Jucef, un compañero de la escuela.

—Hola, Jucef, nos has asustado. ¿Qué es lo que dices?

—Lo que habéis oído.

—No te comprendemos —dijo Samuel.

Gabriel estaba espantado, no soportaba a Jucef. Era un bruto y le gustaba hacer gala de su fuerza, sobre todo contra él.

—¿Ahora hablas también por el *gallina* ese? —dijo Jucef, mirando a Gabriel.

Jucef era el hijo de Isach Figues, más conocido en la aljama por su sobrenombre de *lo Carnicer*, porque regentaba un obrador de carnicería que estaba en la plaza, justo enfrente mismo de la Sinagoga Mayor.

Uno de los aspectos externos que más diferenciaba a los cristianos y los hebreos era la alimentación. Todo lo que comían y bebían los judíos debía ser conforme a los preceptos del *Kashrut*, que son el conjunto de normas religiosas que determinan si un alimento se puede considerar *kosher*, es decir, puro y apto para el consumo. Se aplicaba a todo, incluso a bebidas como el vino. Los judíos de la aljama de Valencia compraban las cosechas enteras de la uva *ullada* y *negreda*, que eran las más apreciadas, a los agricultores de Alboraya Berenguer Canut y Bernat Robiol, entre otros. El vino era elaborado según los preceptos del *Kashrut* para poder ser consumido.

Los cristianos se aprovechaban del hecho diferencial judío en materia de alimentación para hostigarlos aún más, por ejemplo, con la carne, que era uno de los alimentos básicos en la dieta judía. Para que un animal fuera *kosher*, es decir, apto para el consumo de los hebreos, debía ser degollado y dejado desangrar, y tenía que estar perfectamente sano e incluso tener todos los órganos en buen estado. La matanza la debían realizar, según este ritual, los propios carniceros judíos, y estaban obligados a seguir todos los preceptos del *Kashrut*, que no eran pocos. En ocasiones, algunos animales que eran sacrificados no se consideraban *kosher*, por lo que eran rechazados y vendidos a bajo precio a los cristianos.

Poco después de la conquista cristiana de Valencia por Jaime I, los judíos tenían sus propios rebaños de ganado, predominando los borregos y los carneros y, en consecuencia, no tenían problemas para abastecerse de carne. Posteriormente, fruto de este hostigamiento cristiano, les prohibieron tener rebaños propios. Los judíos de la aljama se vieron obligados a comprar carne a los cristianos. En la segunda mitad del siglo XIV, el conflicto creció en intensidad. Las autoridades de la ciudad llegaron incluso a prohibirles comprar carne cristiana. Este hecho amenazó la propia existencia de la judería, hasta tal punto que el rey tuvo que intervenir para revocar esta orden. Aun así, los conflictos no cesaron.

En todo este contexto, se comprende que el oficio de carnicero era muy importante dentro de la aljama, y tenía una elevada condición social.

Jucef, hijo de *lo Carnicer*, se quedó mirando a Samuel y Gabriel, con cara desafiante.

—Claro que me comprendéis. Ayer os vi. No os hagáis los tontos.

—Te confundes, Jucef. No seríamos nosotros —continuó Samuel.

—Venga, dejad de disimular. Ayer estaba desvelado y no podía dormir. Me asomé a la ventana y os vi llegar a la puerta de mi casa, primero a ti —dijo señalando a Gabriel—, y luego a ti.

Samuel no sabía que decir y Gabriel seguía paralizado.

—Me extrañó veros a esas horas por la calle, así que os seguí. Fuisteis a la Sinagoga Mayor y pude observar cómo os sentabais en el suelo, detrás de unas sillas, en la parte trasera que estaba en penumbra. Os quedasteis en silencio y quietos. Luego, al rato, os vi salir.

Samuel recordó que habían oído un ruido en la entrada de la sinagoga aquel día, pero no vieron a nadie. Probablemente fuera Jucef que los estaba siguiendo.

—¿Qué hacíais a esas horas si la sinagoga está vacía? Si es un juego quiero participar.

Samuel y Gabriel se miraron por un momento. Estaba claro que los habían descubierto. Siempre que había reunión del Gran Consejo quedaban en la puerta de la carnicería, justo dónde vivía Jucef con sus padres.

«¿Y ahora qué le digo?», pensó Samuel. Decidió improvisar, no podía quedarse callado, era peor, y más con Jucef.

—Sí, tienes razón. Es un juego —admitió.

—Pues quiero jugar con vosotros. ¿En qué consiste? — contestó más animado Jucef.

Samuel no sabía qué hacer y dijo lo primero que le pasó por la cabeza.

—Gabriel y yo somos espías y tenemos que descubrir una organización secreta que actúa por las noches. Quieren destruir a nuestro pueblo y nosotros somos sus salvadores.

—Qué interesante. ¿Y cómo sabéis quiénes son?

—No lo sabemos, porque se esconden detrás de una gran capa negra con capucha —dijo de repente Gabriel.

Samuel se quedó mirando a su amigo, completamente pasmado. «¿Cómo se te ocurre decir eso, Gabriel?», pensó Samuel. «Estabas más guapo callado».

Jucef soltó una sonora carcajada.

—Pues mi padre tiene una capa de esas con capucha. Igual pertenece a esa organización imaginaria secreta que pretende destruirnos. ¡Qué miedo!

Ahora sí que Samuel y Gabriel se quedaron sin palabras.

Sí que les daba miedo.

64 EN LA ACTUALIDAD, MIÉRCOLES 9 DE MAYO POR LA MAÑANA

Rebeca decidió que tenía que visitar a su amiga Carlota Penella. Era algo que tenía en mente desde hacía algún tiempo, pero la implacable rutina diaria no se lo había permitido. Hacía más de un mes que Carlota no acudía a las reuniones semanales del *Speaker's Club*, y eso que era una de las asiduas. Sabía que estaba pasando una mala racha familiar, su madre estaba bastante enferma. Acababa de salir del hospital, después de una larga estancia, pero, por fin, ya estaban en su casa.

Rebeca pensó que tenía derecho a conocer todo lo que había pasado en el club en estos últimos días. Estaba segura de que se alegraría y por lo menos despejaría su mente. Los hospitales son deprimentes, y son capaces de acabar con la moral de cualquiera, aunque esa cualquiera sea una vitalista convencida como Carlota.

También debía reconocer que lo hacía por ella. Apreciaba de una forma especial a su amiga, y llevaba demasiado tiempo sin verla.

Salió a la cocina y se encontró con su tía Tote. Se acordó de la conversación que había tenido ayer con su amiga Almu, en el bar enfrente de la Facultad de Historia.

—Hola, tía, buenos días.

—Hola, Rebeca, ¿cómo estás? Ayer Joana y tú llegasteis bastante tarde de vuestro club.

—Sí. Vino el jefe de Carmen en el ayuntamiento, que es un gran conocedor de la historia de la ciudad, y nos descubrió algunas cosas muy interesantes, sobre todo de uno de los dibujos de la condesa. Ya tenemos claro que significa, esa es la parte buena. La parte mala es que el descubrimiento nos lleva a un callejón sin salida.

—Eso no es verdad, Rebeca. Siempre hay una salida.

—Pues si la hay, yo no la veo.

—Quizá necesites tomar la adecuada distancia y no obsesionarte tanto.

Rebeca aprovechó la oportunidad para sacar el asunto que quería.

—Hablando de ello, ayer comiendo con Almu, salió el tema del informe policial del caso de la condesa. ¿Podría verlo, o sería una incorrección?

Tote se sorprendió por la petición de su sobrina.

—Supongo que se lo puedo pedir a Sofía, no sé qué me dirá. El caso está más que cerrado, así que tampoco creo que le importe que le eche un vistazo.

—Te lo agradecería, tía. Creo que necesito más información y otro punto de vista en todo este asunto.

—¿Qué esperas encontrar en el informe que no conozcas ya? El tema policial de la condesa parece muy claro. Ni robo ni asesinato, muerte natural.

—No lo sé, probablemente nada, pero si no supone ningún inconveniente, me gustaría leerlo.

—No te preocupes, se lo pediré.

Se despidieron y Rebeca se fue hacia el periódico. Luego le haría una visita a Carlota.

65 26 DE OCTUBRE DE 1390

—¿Cómo se te ocurre decirle a Jucef lo de la capa con capucha? —preguntó Samuel, cuando se quedaron solos.

—No lo sé, me salió así, sin pensarlo, pero de rebote nos hemos enterado que su padre, Isach Figues *lo Carnicer*, también es miembro del Gran Consejo.

—Eso es lo malo. Esperemos que Jucef no le diga a su padre nada del supuesto juego que nos acabamos de inventar. Si lo hace, le preguntará dónde ha escuchado lo de la capa y la capucha, y ya te puedes imaginar el resto. Habríamos conseguido lo que estamos intentando evitar desde el principio, ser descubiertos.

—¿Y ahora qué hacemos, Samuel? No quiero jugar a nada con Jucef por las noches, sabes que no lo soporto. Me pega y me hace daño. Nunca nos hemos llevado bien.

—Pues tenemos tan solo dos opciones y hay que elegir entre una de ellas.

—Ah, ¿sí? ¿Cuáles son?

—Le podríamos contar toda la verdad, así no tendríamos ninguna necesidad de jugar con él.

—¿Lo dices en serio? —preguntó incrédulo Gabriel.

—No, pero es una posibilidad. Hay que pensarlo. Al fin y al cabo, tampoco tenemos gran cosa que perder e igual no es tan mala idea como puede parecer. A nosotros nos han descubierto. Quizá nos vendría bien una cara nueva que el Gran Consejo no conozca — razonó Samuel.

De repente Samuel se animó.

—Podríamos ponerlo a vigilar su centro de operaciones. Nosotros no lo podemos hacer porque Abraham nos conoce, pero seguro que no debe saber quién es Jucef. Estoy seguro de que no ha pisado una biblioteca en su vida, igual ni sabe que existe.

—¡Gabriel! —dijo Samuel con una sonrisa en los labios — ¿Aún sigues empeñado en que la biblioteca oculta algo?

—No estoy empeñado, estoy completamente seguro —dijo Gabriel.

—¡De verdad que eres un pesado!

—Por cierto, Samuel, has dicho que había dos opciones con Jucef. ¿Cuál es la segunda?

—La otra es evidente. Podríamos sacarlo una noche de estas, nos lo llevamos a la sinagoga, hacemos un rato el tonto e intentamos que se aburra mucho. Igual tenemos suerte, se cansa de jugar y nos deja en paz para siempre. Vigilar la nada, a semejantes horas de la noche, y en la sinagoga, debe ser soporífero.

Gabriel se quedó pensando en esa posibilidad.

—No es mala idea, casi prefiero probar con la segunda opción.

—Pues ya sabes lo que te tocará esa noche, aguantar a tu amigo del alma Jucef.

—No te preocupes, seré todo lo aburrido que pueda —dijo Gabriel.

—Tampoco tendrás que esforzarte mucho —se rio Samuel.

—¡Tonto! —rio también Gabriel.

66 EN LA ACTUALIDAD, MIÉRCOLES 9 DE MAYO A MEDIODÍA

Sorprendentemente, fue una mañana tranquila para Rebeca en el periódico. El director ya se había olvidado de ella y pudo trabajar a su aire, sin interferencias. Terminó antes de lo previsto, y como había decidido hacer una visita a su amiga Carlota, salió de la redacción sobre las doce, después de hablar un rato con su compañera Tere. Cogió su bicicleta y se fue hacia su casa. Vivía en un caserón antiguo en el barrio del Cabanyal, enfrente de la playa de la Malvarrosa.

«No le voy a decir que voy, que sea una sorpresa», se dijo Rebeca.

Tocó el timbre de la puerta y abrió la propia Carlota. Su cara se iluminó nada más verla.

—¡Rebeca! ¡Qué alegría me acabas de dar! —dijo, mientras abrazaba a su amiga.

—Hacía tiempo que no nos veíamos y me he dicho, ¿por qué no le hago una visita a mi pelirroja favorita?

—¿Cuántas pelirrojas conoces? —le preguntó sonriendo Carlota.

—La verdad es que solo a ti.

Se rieron a gusto. Siempre se habían llevado muy bien. A Rebeca le encantaba la vitalidad y la espontaneidad de Carlota, y a Carlota el sentido del humor y la humildad de Rebeca. En el fondo eran muy parecidas, incluso rivalizaban en su extrema inteligencia. Hasta daba la casualidad que habían nacido el mismo día.

—Vamos, no te quedes en la puerta, pasa —dijo Carlota.

Entraron. A Rebeca le encantaba, era una casa típica valenciana, de las pocas que, por desgracia, quedaban en el barrio. Carlota cogió dos sillas y las puso en el centro del corral, que era el patio central de la casa.

—Primero que nada, ¿cómo está tu madre?

—Ahora está algo mejor, pero va por temporadas. —contestó Carlota, con tono algo triste—. Ya sabes lo que tiene, el puñetero bicho, así que tampoco tenemos muchas esperanzas, somos realistas.

—Lo sé, tiene que ser duro para una persona como tú.

—Pero no hablemos de cosas tristes ¿A qué se debe tu agradable visita?

—¿Acaso necesito un motivo para venir a verte?

—No, desde luego, pero resulta que tengo móvil y leo los mensajes en el grupo del *Speaker's Club*. Sé que habéis estado muy ocupados últimamente, y supongo que algo tendrá que ver tu visita con todo ello.

—Eres demasiado inteligente para mí —dijo Rebeca, mientras le guiñaba un ojo.

—¿Y a qué esperas para ponerme al día?

Rebeca le contó todo desde el principio. Empezó por la visita de la condesa al periódico y los documentos que le entregó. Continuó por la muerte de la condesa, cómo le requisó la Policía los dibujos y cómo los recuperó. Concluyó con los avances que habían hecho, gracias a la ocurrencia de Carmen y a la sagacidad de Jaume.

—¿No llevarás encima esos dibujos? —preguntó Carlota.

—Siempre lo hago, no me fio de dejarlos en la redacción del periódico —contestó Rebeca—. Me han desaparecido carpetas y creo que me espían, aunque no entiendo el motivo.

—Pues ya tardas en enseñármelos.

Rebeca sacó de la bandolera que llevaba un portafolios. Lo abrió y extendió los dibujos en la mesa que tenían al lado.

—¡Muy ingeniosa doña Carmen! —dijo Carlota, superponiendo el dibujo al plano de la ciudad, tal y como había hecho la archivera.

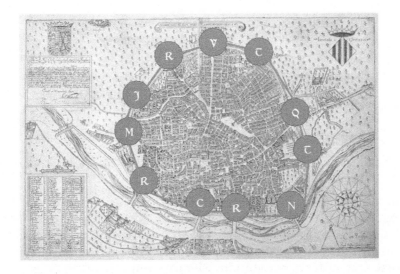

—Sí, la verdad es que tuvo una afortunada ocurrencia.

Carlota se quedó mirando el otro dibujo.

—¿Y este árbol qué significa? —preguntó.

—Según Jaume, se trata del árbol de la vida cristiano, de una compleja significación religiosa, pero no tenemos ni idea qué tiene que ver con todo lo demás.

—¿El árbol de la vida de una compleja significación? ¿En serio? Mira que os complicáis la vida, nunca mejor dicho. Las cosas suelen ser más sencillas —dijo Carlota, mientras miraba fijamente el dibujo.

Le dio la vuelta y lo puso justo bocabajo.

—Ale, ya lo tenemos resuelto —dijo, haciendo un gesto con su mano y el resto de papeles.

Rebeca se quedó mirándola, pasmada. Siempre le había maravillado la prodigiosa mente de Carlota, le gustaba decir que era de una sencillez absolutamente compleja y ahora estaba brillando con luz propia. Nunca le dejaba indiferente.

Rebeca estaba asombrada.

Diez minutos con Carlota equivalían a una hora con toda la humanidad.

Samuel salió de la cocina de su casa y pasó por la puerta del despacho de su abuelo Isaac. Ese despacho era toda una obsesión para Samuel. Su abuelo no permitía que nadie entrara, hasta el punto que lo limpiaba él mismo para evitar incluso que entrara su abuela. Siempre tenía la puerta cerrada con llave y desconocía dónde la guardaba. La había buscado sin éxito en numerosas ocasiones.

Samuel recordaba que había penetrado en aquel templo una vez. Fue al poco de quedarse huérfano e irse a vivir con sus abuelos. Tenía apenas siete años. Estaba jugando y se tropezó. Sin darse cuenta se apoyó en la puerta del despacho, que no estaba cerrada con llave. Cedió y se abrió poco a poco, emitiendo un sonido parecido a un suave ronroneo. La curiosidad de Samuel hizo el resto y entró.

Era una habitación muy austera, una mesa vieja, unas sillas muy desvencijadas y un gran armario, antiguo, pero al mismo tiempo elegante, justo detrás de la mesa. Le llamó la atención aquel armario, porque desentonaba de forma notable con la decoración humilde y sencilla del resto de la estancia. Parecía fuera de lugar.

Se quedó allí plantado hasta que escuchó un grito detrás de él. Era su abuelo que lo había descubierto.

Salió corriendo como no lo había hecho jamás, aunque, como era lógico, acabó atrapándolo con cierta facilidad.

Se ganó un buen castigo, que también recordaba con amargura. Después de aquello jamás había vuelto a entrar, ni siquiera a intentarlo, pero se decía para sí mismo que algún día lo haría.

Desde luego que lo haría, pero Samuel no se podía ni imaginar para qué, ni con qué consecuencias. De hecho, si lo llega a saber, igual hubiera preferido no entrar.

EN LA ACTUALIDAD, MIÉRCOLES 9 DE MAYO A MEDIODÍA

Rebeca estaba con los ojos abiertos y con cara de pasmada.

—Vamos a ver, ¿y con tantos que sois en el club, no se le había ocurrido a nadie? —preguntó Carlota, incrédula.

Rebeca aún no había salido de su asombro.

—Bueno, yo lo pensé, pero no encajaba —murmuró a modo de disculpa Rebeca.

—O sea, ¿me estás diciendo que superponéis un dibujo, pero que a nadie se le ocurre superponer también el otro? —preguntó asombrada Carlota.

—Ya te he dicho que no encajaba, y de hecho no encaja del todo. Pero claro, si le das la vuelta y lo colocas del revés es otra cosa.

—Sois unos inútiles —dijo Carlota, con una sonrisa en su cara, disfrutando del momento de confusión de su amiga.

—De todas maneras, coinciden diez de los once números en otras tantas puertas, pero precisamente el número once se queda dentro del mapa, no parece que tenga relación con los otros diez ni con ninguna puerta.

—Sí, bueno, pero es casi imposible que sea una casualidad que coincidan diez. Es verdad que se nos queda el número once desparejado.

—¿Por qué será? —se preguntó Rebeca.

Carlota se aproximó a los dibujos. Se quedó observándolos con detenimiento.

—Fíjate bien en el número once. Tiene un doble círculo, no como todos los demás, que tan solo tienen un círculo sencillo —dijo.

Rebeca los miró de cerca, como su amiga.

—Es cierto, parece que el número once sea más importante.

—En realidad, aunque el árbol tenga tan solo once números, también tiene doce círculos. Diez sencillos que se corresponden, una vez superpuestos en el plano, con diez puertas, y dos juntos que no parecen tener relación con los otros diez y que no se corresponden con ninguna puerta —dijo Carlota.

Rebeca seguía alucinada con las deducciones de su amiga.

—Si quieres que te diga la verdad, si acabamos de resolver el segundo dibujo, tampoco tengo ni idea qué significa —dijo Rebeca.

— Ni yo, pero puede suponer un punto de arranque.

— ¿Arranque hacia dónde?

—Hasta el infinito y más allá —dijo Carlota imitando la voz de *Buzz Lightyear* de *Toy Story*.

Ambas se rieron con ganas. Se notaba que hacía tiempo que no se veían.

Rebeca acabó quedándose a comer en casa de Carlota. No la quería molestar, porque sabía que su madre estaba en la cama enferma, pero por otra parte pensó que quizá le viniera bien a Carlota, y también a ella, por qué no decirlo. Siempre disfrutaba en su compañía. Eran como hermanas, aunque hiciera un mes que no se hubieran visto, cuando lo hacían, parecía que no hubiera trascurrido el tiempo.

Por un momento desconectaron su mente de las cuestiones del *Speaker's Club* y de los problemas diarios. Carlota estaba algo agobiada por los días que había pasado en el hospital con su madre y le apetecía hablar de otras cosas más intrascendentes. A Rebeca también.

—Siempre *Ravenclaw* —dijo divertida Carlota.

—Para nada, arriba *Hufflepuff* —contestó riendo Rebeca.

Ambas eran muy aficionadas a los libros y a todo el universo mágico de Harry Potter creado por la escritora J.K. Rowling. En dichos libros, los alumnos que accedían a estudiar en la escuela de Hogwarts se dividían en cuatro casas, *Gryffindor, Hufflepuff, Ravenclaw y Slytherin.* Los miembros de cada una de las casas tenían unas características especiales. Así, los estudiantes en *Ravenclaw* eran ingeniosos y sabios, mientras que los alumnos de *Hufflepuff* eran leales y honestos.

—Ya verás cuando conozcas a Harry Potter, es clavado al jefe de Carmen, aunque con cuarenta años más —dijo Rebeca—. Me cuesta mirarlo sin reírme.

Pasaron una sobremesa muy agradable, ajenas a todos los problemas del mundo. Rebeca se fue de casa de Carlota pasadas las seis de la tarde, completamente relajada.

Llegó a su casa casi a las siete. No había ni rastro de Tote ni de Joana. Se encaminó a su habitación y se tumbó en la cama. Se clavó algo duro en la espalda. Se incorporó de inmediato y se dio cuenta de que se había acostado encima de una carpeta.

«¿Qué es esto?», se dijo Rebeca.

En su parte superior ponía «María Luisa de las Mercedes y Dos Sicilias». Por un momento no comprendió qué podía ser, pero cuando vio el escudo de la Policía Nacional en el otro extremo de la carpeta, cayó en la cuenta.

«¡El informe policial de la condesa!», se dijo Rebeca. «¡Mi tía Tote me lo ha conseguido!»

En el extremo inferior derecho tenía un *pósit* amarillo, que con la letra de su tía decía «De nada, solo para tus ojos, ni se te ocurra publicarlo ni enseñárselo al director de tu periódico».

Rebeca lo abrió de inmediato. Tenía bastante documentación en su interior y muchas fotografías. Se entretuvo viéndolas. Aparecía la condesa en el suelo, en una extraña posición, como si se hubiera desplomado de repente. Supuso que eso mismo debió ser lo que le ocurrió.

Había fotos tomadas desde todos los ángulos posibles. También del resto de la habitación, de la mesa del despacho, con el huevo de Fabergé en un extremo, y de las dos cajas fuertes vacías. Es verdad que no parecía haber nada desordenado ni fuera de lugar, salvo, por supuesto, el cadáver de la condesa en el suelo.

También había muchos informes técnicos, la autopsia y los listados de bienes, tanto los de la compañía de seguros como los que la condesa había elaborado para Hacienda. Empezó por la autopsia. Causa de la muerte «infarto de miocardio», leyó. «Menudo tocho», pensó, y se pasó directamente a los listados de bienes. La condesa era una mujer rica, tenía propiedades muy valiosas.

Había cuadros de multitud de pintores destacados, incluyendo un dibujo de Pablo Picasso, dos óleos de Sorolla y varios Pinazos. También arte más reciente, como algunas obras del Equipo Crónica, esculturas de Miquel Navarro, fotografías de Carlos Cánovas, Raúl Belinchón o incluso algunas de Paco Caparrós, un artista contemporáneo afincado en una población cercana a la ciudad, que le encantaba y que además conocía personalmente, porque era amigo de su tía Tote. También aparecían muchas joyas en los listados, con sus correspondientes fotografías. Aquello era verdaderamente impresionante hasta para la propia Rebeca, que era estudiante de Historia y, en consecuencia, estaba acostumbrada a tratar con obras de arte.

«Lo raro es que este tesoro estuviera en un palacio cerrado durante siete años. Espero que sus hijos lo cedan para que algún museo exponga estas auténticas maravillas», se dijo. «No merece estar entre cuatro paredes, escondido a los ojos de la gente».

Estuvo un buen rato cotilleando el informe, hasta que le entró hambre. Hoy tampoco le apetecía cocinar. «¡Qué raro!», pensó sonriendo. Se preparó su habitual *sándwich* de pavo y queso chédar, y se sirvió un vaso de leche fresca. Se lo llevó a su habitación.

La cuestión es que Rebeca tenía una sensación extraña. Desde que había empezado a leer el informe policial, había algo que le rondaba la cabeza, pero no sabía qué, no terminaba de verlo. Era incómodo.

«No sé, igual ya estoy medio paranoica», pensó. «Estoy cansada, me voy a consultarlo con la almohada».

Se puso el pijama y se acostó, con esa extraña sensación todavía rondándole por la cabeza.

No tardó en dormirse nada, a pesar de sus preocupaciones.

69 29 DE OCTUBRE DE 1390

Este mediodía, Gabriel tenía una misión secreta. No se la había contado ni a su amigo Samuel. Cuando terminaron las clases, salieron de la escuela y se fueron juntos hacia su casa, como todos los días. Vivían en puertas contiguas. Se despidieron, Samuel entró en su casa, pero Gabriel no entró en la suya.

Ahora venía la parte más difícil.

Llevaba días observando y creía que había elegido el momento adecuado. Ejecutó el plan como lo había previsto, tenía que ser especialmente cuidadoso. Se jugaba mucho.

A pesar de los nervios, todo salió como estaba programado. Ya estaba dentro.

«Ya he conseguido lo más complicado, ¿y ahora qué hago?», se dijo.

Miró a su alrededor. Enseguida se dio cuenta de lo que desentonaba de una manera notable.

«Vamos allá, sin miedo», pensó, para darse ánimos.

Con cuidado, empezó a mover el pesado armario del fondo de la habitación. Debía ser lo más silencioso posible, no lo podían descubrir. Se jugaba mucho, sobre todo si lo pillaban con las manos en la masa. A pesar de haber tomado todas las medidas de precaución imaginables, se encontraba ante el momento más delicado de la operación.

Cuando terminó, su cara se iluminó de satisfacción, sobre todo porque tenía razón desde el principio.

«¡Premio!», se dijo.

Cuando halló lo que buscaba, se quedó con la boca abierta. Jamás se hubiera podido imaginar lo que se iba a encontrar.

Cualquier cosa menos eso. Se quedó paralizado durante un largo minuto.

No se lo esperaba, era algo insólito, fuera de lugar.

«¿Y ahora qué hago? ¿Se lo cuento a Samuel o no?»

70 EN LA ACTUALIDAD, JUEVES 10 DE MAYO POR LA MAÑANA

Rebeca se despertó a las siete y media. Se duchó y salió a la cocina, todavía con el pijama puesto.

—Hola, Rebeca, buenos días —dijo su tía Tote.

Joana estaba preparando unas tostadas. Se giró hacía la puerta de la cocina.

—Buenos días, Rebeca. Ayer, cuando llegamos a casa, estabas dormida como un angelito, bueno, como una angelita.

—Sí, estuve leyendo el informe de la muerte de la condesa. Por cierto, muchas gracias, tía. Supongo que mientras lo ojeaba me entró sueño.

—No me extraña —dijo Tote—. Si los informes de casos cerrados no los leemos ni nosotras mismas. En su mayor parte son cuestiones técnicas y acaban enterrados en lo más profundo de los archivos, y eso cuando no están digitalizados, que ya pasa con la mayoría de los casos.

Rebeca se acercó a la nevera y se sirvió su vaso de leche fresca reglamentario.

—La cuestión es que, después de ojear el informe, hay algo que no me cuadra —dijo Rebeca—. Ayer estuve dándole muchas vueltas a la cabeza.

—¿Algo que no te cuadra? —preguntó Tote extrañada—. Pues según la inspectora Sofia Cabrelles, está todo más que claro, no tienen ninguna duda. El caso está oficialmente cerrado y archivado por el Juzgado.

—No, no. Es un tema menor. Estoy segura de que la médica forense que firma la autopsia no se ha podido equivocar con la causa de la muerte, no se trata de eso.

—Entonces, ¿qué es? —preguntó Joana.

—Ni idea. Igual no es nada importante, pero tengo la sensación que algo no está donde debiera.

—¿Quieres un par de tostadas? —dijo Joana.

—Sí, por favor.

—Bueno, ya se te ocurrirá. No creo que sea nada trascendente. El Grupo de Homicidios y la Policía Científica funcionan como un reloj —dijo Tote—. Son auténticos profesionales en su materia.

—No lo dudo ni por un instante, pero mi instinto me sigue gritando al oído. Bueno, voy a ver si lo acallo, preparándome el desayuno.

Rebeca cogió la mermelada de fresa y se sirvió una generosa porción encima de una de las tostadas. Se quedó mirando fijamente una fresa que había caído justo en el centro del pan.

De repente, se levantó de un salto de la silla, con la cara desencajada.

—¡Claro! —gritó.

—¡Rebeca, por favor, qué susto me has dado! —grito también Joana.

—¡No está! —dijo Rebeca excitada.

—No está, ¿el qué? —dijo Tote, sin comprender nada.

—Mirando la fresa roja, de repente, me ha venido a la mente —dijo Rebeca, que hablaba como si estuviera pensando en voz alta.

—¿Una fresa? —preguntó incrédula Joana.

—No, una fresa no. Su color.

—Por favor, Rebeca, deja de decir tonterías sin sentido y cuéntanos de una vez qué significa todo esto —dijo Tote.

Rebeca se tranquilizó un poco, lo suficiente como para ser capaz de explicarse.

—Escuchad, cuando la condesa me visitó en el periódico, me dijo que había encontrado los papeles en una caja fuerte, que estaba oculta detrás de un cuadro del despacho de su difunto marido, el conde de Ruzafa.

—Sí, recordamos que así nos lo contaste —dijo Tote.

—También se mostró extrañada porque guardara esos papeles en una caja fuerte que ella no conocía.

—Sí, sí, también lo sabemos.

—Pero, sobre todo, lo que le resultó más extraño es que su marido ocultara y protegiera esos papeles dentro de la caja fuerte y, sin embargo, dejara encima de la mesa del despacho su huevo de Fabergé y una gargantilla muy valiosa con un diamante rojo, que procedía de la familia del conde.

—¿Y qué? —preguntó Tote, sin entender a Rebeca.

—En las fotografías que la Policía hizo de la mesa del despacho del conde, aparece claramente el huevo de Fabergé, pero no hay ni rastro de la gargantilla.

—Bueno, supongo que la condesa la guardaría en otro lugar —dijo Tote, tratando de buscar algún motivo lógico.

Rebeca hizo un gesto negativo con la cabeza.

—Ahora recuerdo que tampoco aparece en ningún listado, ni en el de Hacienda, ni en el de la compañía de seguros, ni en el inventario que la propia Policía hizo de todo el contenido del palacio, me acuerdo perfectamente. Eso era lo que no me terminaba de encajar anoche, cuando me leí el informe policial.

Tote estaba callada, sin saber qué decir. Rebeca continuó hablando.

—Los diamantes rojos son muy raros, hay pocos en el mundo y tienen un gran valor económico. Seguramente esa gargantilla sería una de las joyas más valiosas del palacio. ¿Cómo es posible que no aparezca por ningún sitio, ni siquiera inventariada?

—La verdad es que es muy extraño —reconoció Tote, intrigada.

—¿Y por qué los tres hijos de la condesa no la echaron en falta? Una joya antigua y familiar de esas características, dudo que pueda ser olvidada con tanta facilidad.

—Desde luego no parece creíble —dijo Tote, que ahora estaba muy pensativa.

—Está claro que ocultaron a la Policía su desaparición, ¿por qué lo harían?

Tote se empezó a preocupar en serio por lo que estaba contando Rebeca.

—¿Estás segura de que la condesa te dijo eso? —preguntó, intranquila.

—Absolutamente. Además, lo contó delante del director Fornell. Supongo que él también lo recordará.

—¿No se lo pudo inventar? —preguntó Tote, intentando buscar una explicación lógica.

—¿Por qué iba a hacer una cosa así? No tiene sentido —respondió Rebeca.

—No lo tiene, no —dijo también Tote, pensativa.

Joana estaba callada. Desde que había empezado a explicar el tema de la gargantilla, no había abierto la boca. A Rebeca le extrañó un poco su actitud. Estaba rara.

Tote siguió hablando.

—Está claro que la condesa murió por un infarto, pero la desaparición de esa gargantilla me preocupa. Entended que tengo que hablar con la inspectora Cabrelles. Desde luego es un cabo suelto de lo más extraño.

Samuel y Gabriel no podían seguir ignorando a Jucef. Quería jugar con ellos a ese misterioso juego que le habían contado y que, improvisando, se habían visto forzados a inventarse. Al final, no tuvieron más remedio que ejecutar el plan que habían pensado, jugar hasta conseguir aburrirle. Convinieron en verse con Jucef en la puerta de su casa, la carnicería, un poco antes de medianoche, en el mismo lugar que quedaban para espiar en las reuniones del Gran Consejo.

—Aún no estoy seguro si esto es necesario —dijo Gabriel—. Jucef me da miedo.

—Ya hemos quedado con él. Lo que tienes que hacer es concentrarte en aburrirte, a ver si ahora lo vamos a pasar bien y la fastidiamos —le contestó Samuel.

—¿Y qué se supone que vamos a hacer?

—No sé, ya improvisaremos. Él dice que nos vio escondidos en una de las últimas filas de asientos de la sinagoga, pues empezaremos por allí. Luego nos podíamos quedar en silencio, a ver si se empieza a aburrir. Si aún aguanta, podríamos salir a reptar cerca de las rejillas de ventilación. Allí siempre está muy sucio y suele haber barro.

—¡Qué asco! Pero es una buena idea. Igual, después de eso, prefiere retirarse a su casa.

—No subestimemos a Jucef. En sus formas es un poco rudimentario, pero en la escuela va sobrado y con poco esfuerzo. Me fijé en él hace tiempo. No es el tonto que a veces parece. De hecho, creo que esa capa de brutalidad que exhibe es pura fachada. Quiere ser popular y piensa que así lo es —dijo a modo de advertencia Samuel. —Debe de ser inteligente, aunque se esfuerce en no parecerlo.

—¿De verdad piensas eso?

—Ya te he dicho que lo vengo observando. Te aseguro que es bastante más listo de lo que quiere hacernos creer. Mucho cuidado con él.

—Lo único que me importa es que, en cuanto surge la ocasión, me pega. Cualquier pretexto le parece bueno.

Samuel continuaba con su razonamiento.

—Fíjate en su padre, Isach Figues. Ha tenido algunos conflictos en la aljama, el último de ellos por trabajar en pleno *shabat*, pero siempre ha salido victorioso o con un castigo mínimo. También parece poco inteligente y algo bruto, sin embargo, pertenece al Gran Consejo. Así es su hijo también. Una cosa son las apariencias y otra la realidad. Que no nos confundan.

—Ahora resulta que el bruto de Jucef, en realidad, es una lumbrera. Presiento que esta noche se me va a hacer muy larga.

En realidad, iba a ser bastante más larga y movida de lo que Gabriel se esperaba.

72 EN LA ACTUALIDAD, JUEVES 10 DE MAYO POR LA MAÑANA

Rebeca pasó la mañana en la redacción de *La Crónica* con el pensamiento puesto en otro sitio. No se podía quitar de la cabeza la gargantilla de la familia del conde. *La gargantilla fantasma*, la podría llamar, a modo de título de película.

Rebeca no alcanzaba a comprender por qué no aparecía en el inventario de bienes de Hacienda, ni en el de la compañía de seguros. Tampoco entendía cómo podían sus hijos haberse olvidado de una joya familiar tan extraordinaria. Todo era muy extraño. Cuando más pensaba en ello, menos sentido le encontraba.

«Bueno, dejaré que mi tía hable con la inspectora Cabrelles, supongo que ella sabrá qué hacer», se dijo.

El móvil no paraba de sonar. Por el tono de los mensajes, eran todos del grupo del *Speaker's Club*.

«¿Qué se estarán diciendo?», se preguntó intrigada Rebeca.

No le gustaba ni leer ni contestar mensajes sobre asuntos personales en la redacción del periódico, porque siempre tenía la impresión que alguien la podía mirar por encima del hombro.

«La curiosidad mató al gato», se dijo al fin, claudicando.

«Miau».

Cogió el teléfono y empezó a leer los mensajes. Se sorprendió.

«¿Convocan reunión para esta tarde? ¿Qué ha pasado?», se dijo asombrada, mientras echaba hacia atrás los mensajes en el móvil, para leerlos desde el principio.

Charly había conseguido, por fin, hablar con Rafa Lunel, su compañero del colegio. Llevaba viviendo cuatro meses en

México con su novia. Parecía que habían montado un pequeño restaurante y les iba bastante bien. No tenía ninguna intención de regresar a España a corto plazo, según contaba Charly.

«Vaya, qué fastidio», pensó Rebeca. «Ahora mismo necesitamos toda la ayuda posible».

Siguió leyendo los mensajes.

Sin embargo, Rafa había hablado con su padre, que efectivamente era Abraham Lunel. Rebeca recordaba que Joana le había contado que era un historiador de fama mundial. Parece que aún vivía en la urbanización La Cruz de Gracia, cerca de Valencia.

«Esto se pone interesante», pensó.

Al parecer, el padre de Rafa estaba dispuesto a echarle un vistazo a los dibujos, y le venía bien hoy mismo, porque salía de viaje, en breve, por una conferencia, e iba a estar unos días fuera de la ciudad.

«Esto sí que es una buena noticia», pensó Rebeca. «Siempre es interesante un punto de vista diferente. Igual descubre cosas que nosotros no somos capaces de ver. Creo que ya hemos agotado nuestra imaginación».

Carlota tampoco podría venir a la reunión.

«Una verdadera lástima», pensó Rebeca. Sus puntos de vista siempre eran originales y ahora necesitaban precisamente eso, otro enfoque a toda la situación.

Entre gargantillas y mensajes, se le había pasado la mañana sin darse cuenta.

73 7 DE NOVIEMBRE DE 1390

Hoy era el día que Samuel y Gabriel debían fingir que jugaban con Jucef. No les apetecía nada, pero ya no lo podían evitar. Gabriel esperaba que todo acabara lo más rápido posible. No soportaba las bravuconadas de Jucef, por muy listo que fuera, según pensaba Samuel.

Un poco antes de la medianoche, se encontraron en la puerta de su casa, en la carnicería cercana a la Sinagoga Mayor.

—¿Estás preparado? —le preguntó Gabriel a Jucef, con un falso tono de emoción.

—Yo siempre estoy preparado, ¿y tú, *gallina?* —le contestó Jucef.

—No soy un *gallina* —contestó enfadado Gabriel. No había empezado el juego y ya le estaba molestando la presencia de Jucef.

Se encaminaron en silencio hacia la Sinagoga Mayor. Entraron al patio. Estaba completamente a oscuras.

—Tenemos que ser muy cautos, el equipo de los siniestros puede estar en cualquier sitio —dijo Samuel.

«¿Los siniestros? ¡Menudo nombre se le ha ocurrido a Samuel!», pensó Gabriel, divertido.

—¿El equipo de los siniestros? —preguntó de inmediato Jucef— ¿Es el nombre de los que quieren destruir a nuestro pueblo?

—Sí, pero hay que tener cuidado. No siempre los podemos ver, en ocasiones nos pasamos un buen rato esperando y no aparecen. Recuerda que nosotros somos los vigilantes.

—¡Ah, vale! —contestó Jucef.

—Vamos a entrar en la sinagoga, nos esconderemos en la penúltima fila de asientos —dijo con voz misteriosa Samuel—. Recordad, el silencio es fundamental en esta misión.

Entraron los tres por la parte izquierda, alejados de la débil luz de la lámpara de la llama eterna, hasta llegar a su escondite. Se agazaparon y se quedaron inmóviles.

Silencio absoluto. Furtivamente, observaban la soledad de la sinagoga.

—Aquí no aparece nadie —dijo al rato Jucef.

—Estamos en misión de vigilancia, ya te hemos dicho que no siempre los podemos ver —dijo Samuel.

Sorprendentemente, Gabriel se estaba divirtiendo. Por primera vez le estaba tomando el pelo a Jucef en su propia cara, y este ni se enfadaba ni le pegaba. Tenía que hacer esfuerzos para que no le diera un ataque de risa.

Al rato, Samuel volvió a hablar en un susurro.

—Ahora saldremos al patio. Hay unas rejillas que sirven para ventilar la sinagoga. Vigilaremos desde allí.

Se levantaron y abandonaron su escondite. Salieron como habían entrado, pegados a la pared izquierda. Llegaron a las rejillas. No había barro, pero estaban muy sucias.

—¿Por qué tenemos que ponernos aquí? —preguntó Jucef, mientras miraba con cara de asco toda la porquería que había en el suelo.

—Porque es un sitio perfecto para observar a los siniestros, se puede escuchar lo que hablan dentro y a la vez estamos en una zona muy oscura. Es difícil que nos vean, si aparecen —le contestó Samuel.

Gabriel apenas podía contener la risa. En aquel lugar, por las corrientes que se generaban por las rejillas de ventilación, se solía acumular mucha suciedad y fango. Ahora no había barro porque hacía bastantes días que no llovía, pero daba algo de asco tumbarse entre tanta porquería. Ver revolcarse a Jucef entre la cochambre no tenía precio, pensaba Gabriel. Cada vez se lo estaba pasando mejor.

Los tres se agazaparon y se quedaron vigilando.

Nada, silencio total.

—¿Estáis seguros de que los siniestros vendrán? Este sitio no es muy agradable.

«Bien», pensó Gabriel, «ya se empieza a incomodar, de aquí al aburrimiento tan solo hay un paso».

—Ya te hemos dicho que no siempre los vemos —le contestó Samuel—. Hay que tener paciencia, recuerda que estamos en misión de vigilancia.

De repente Jucef se puso alerta.

—¡Allí hay algo! He visto una sombra pasar.

Samuel y Gabriel se quedaron mirando. Nada, ellos no veían nada.

«¿Sería posible que Jucef se estuviera sugestionando y ya creyera ver a los siniestros? Eso no era bueno, tiene que aburrirse», pensó Gabriel.

De repente, una sombra cruzó por delante de ellos, como flotando, y entró en la sinagoga. Se quedaron paralizados, esta vez la habían visto los tres perfectamente.

—¿Qué ha sido eso? —preguntó con algo de miedo Gabriel—. No parecía una persona.

—¡Los siniestros! ¡Os lo había dicho! —dijo Jucef muy emocionado— ¡Están aquí!

«¿En serio los siniestros? ¿Qué había sido aquello que flotaba en el aire?»

Samuel y Gabriel se miraron entre ellos.

Algo no iba bien.

Nada bien.

74 EN LA ACTUALIDAD, JUEVES 10 DE MAYO A MEDIODÍA

Rebeca llegó a casa a mediodía y se encontró con la mesa de la cocina preparada para tres comensales.

«Caramba, ¡qué sorpresa!», pensó. Entre unas cosas y otras, ya hacía algunas semanas que no comían las tres juntas. Echaba de menos esos momentos. Últimamente estaban demasiado ocupadas, cada una con sus asuntos, que estaban olvidando las deliciosas rutinas familiares.

—Hola, Rebeca, ¿qué tal la mañana? —preguntó Joana, apareciendo por la puerta de la cocina.

—Hola, Joana, veo que hoy comemos las tres.

—Ya tocaba, ¿no? Al final vamos a olvidar que somos una familia.

—Eso nunca —dijo con rotundidad Rebeca.

Su tía Tote entró en la cocina.

—Hola, Rebeca. Joana lleva dos horas en la cocina. Creo que ha preparado algo que te gusta —dijo Tote, guiñándole un ojo.

Rebeca imitó el olfateo de un conejo.

—¡Canelones de la abuela! —dijo, entusiasmada.

Joana tenía orígenes catalanes. Los canelones de su abuela eran todo un espectáculo gastronómico y una tradición en su familia.

—Hace tiempo que no los cocino, espero que aún me haya acordado.

—Seguro, los canelones son como montar en bicicleta, jamás se olvida cómo se cocinan —dijo riéndose Rebeca.

—Ya veremos —le respondió Joana, también riendo.

Se sentaron en la mesa y se dispusieron a disfrutar de la cocina de Joana. Rebeca se dirigió a ella.

—Tengo una buena noticia para ti. En agradecimiento por el manjar que nos acabas de preparar y que en breve vamos a degustar, tengo la satisfacción de comunicarte que esta tarde, en la sede habitual del *Speaker's Club*, asistirá el historiador Abraham Lunel como orador invitado, para darnos su opinión acerca de los dibujos de la condesa.

—¿No me digas? ¡Eso es fantástico! —dijo emocionada Joana—. No me lo pienso perder, os aseguro que es un auténtico lujo poder escucharlo. Es toda una autoridad mundial. Cobra cantidades muy elevadas por dar conferencias. Que acuda gratis a vuestro club es un verdadero acontecimiento, aunque quizá no lo apreciéis.

—No sé los demás, te aseguro que yo estoy dispuesta a apreciarlo, aunque no supiera de su existencia hasta anteayer —dijo Rebeca.

Las tres se rieron.

Tote cambió de tema.

—Por cierto, he hablado esta mañana a primera hora con la inspectora Sofía Cabrelles. Se ha preocupado bastante por lo que le he contado acerca de la gargantilla.

—Yo llevo toda la mañana dándole vueltas. ¿Qué te ha contestado? —preguntó Rebeca.

—Ha llamado a los tres hijos de la condesa, para preguntarles por qué le habían ocultado la existencia de esa joya familiar de su padre.

—¿Y qué le han dicho?

—Eso es lo más sorprendente. Los tres han negado conocer la existencia de esa gargantilla. Dicen que jamás la habían visto, ni siquiera habían oído hablar de ella.

—¿Qué? —dijo Rebeca, completamente desconcertada. No se esperaba esa respuesta.

—Lo que oyes.

—¿Entonces, mintió la condesa o mienten sus tres hijos?

—Como a la condesa ya no le podemos preguntar, tendremos que suponer que sus hijos dicen la verdad —contestó Tote, no demasiada convencida—. Además, tampoco tenemos ninguna prueba de su existencia, más allá de las palabras de la condesa. No olvides que no aparece en ningún listado, ni siquiera en el de la compañía de seguros, algo incomprensible, dado su aparente elevado valor.

Rebeca se quedó pensativa.

—Todo esto es muy raro, tía.

—Desde luego, pero parece que no van a reabrir el caso por una cuestión así.

—No le encuentro ningún sentido —dijo Rebeca—, por más que lo pienso.

—No se lo encuentras porque no lo tiene.

Rebeca se quedó muy extrañada y Tote muy preocupada.

75 | 7 DE NOVIEMBRE DE 1390

Samuel, Gabriel y Jucef estaban paralizados. Algo había pasado por delante de ellos, como flotando y había entrado en la sinagoga, no había ninguna duda. No se lo habían imaginado, lo habían visto los tres.

Jucef estaba excitado.

—¿Y ahora qué hacemos?

Samuel y Gabriel no sabían qué decirle ni qué estaba pasando, pero tenían que continuar con la ficción de los siniestros, ahora no podían parar. «¿Qué narices había sido aquello?»

—Ha debido de ser un siniestro —dijo al fin Samuel—. Hay que seguir esperando, en silencio.

Pasó otra sombra, y otra más.

Estaban paralizados de terror. Se asomaron a las rejillas de ventilación de la sinagoga, donde estaban agazapados. No se veía gran cosa y tampoco se escuchaba nada.

Gabriel estaba temblando. Aquello no era nada normal. Ahora ya no se estaba divirtiendo. La tensión se palpaba en su rostro.

Dos sombras más entraron en el patio de la sinagoga juntas. Daba toda la sensación de que caminaban sobre el suelo, como levitando.

—¡Los siniestros no tienen pies, flotan en el aire! —dijo Jucef, todavía más excitado.

«¿Flotan?» Ahora, los temblores de Gabriel se extendieron a sus dientes.

Samuel se había quedado observando con detenimiento las dos últimas sombras que habían pasado delante de ellos. La verdad es que levitaban en el aire. Era consciente de que no podía ser una alucinación colectiva, pero algo extraño estaba sucediendo. Miró a Gabriel. Estaba muy asustado, parecía evidente que también estaba viendo lo mismo.

Pasó otra sombra más por delante de ellos. Samuel se quedó paralizado cuando comprendió, por fin, por qué levitaban.

Ahora el asustado de verdad era él.

«¡No podía ser!»

76 EN LA ACTUALIDAD, JUEVES 10 DE MAYO POR LA TARDE

Rebeca y Joana salieron juntas hacia el *pub* Kilkenny's con sus respectivas bicicletas. Estaban emocionadas con la presencia en el *Speaker's Club* de un historiador de fama mundial como Abraham Lunel.

Llegaron casi un cuarto de hora antes y se encaminaron hacía su rincón habitual. En la mesa tan solo estaba Charly, vestido de trabajo, es decir, de piloto. Llevaba puesto un traje y chaqueta azul marino, corbata negra, un escudo con alas doradas en su chaqueta y tres franjas amarillas en la bocamanga. Rebeca tenía que reconocer que, con ese uniforme, estaba verdaderamente imponente.

No pensaba perder esta oportunidad.

—¡A sus órdenes mi coronel! —dijo Rebeca— ¿Ahora qué debería decir yo? ¿Algo así como pibón con alas a las doce? —continuó, riéndose.

Rebeca aún se acordaba de las bromas que le gastaron cuando acudió la semana pasada a una reunión del club, con ese espectacular minivestido rojo.

—Me lo tengo merecido, me puedes decir lo que quieras —dijo Charly, riéndose también.

—Caramba, Charly, la verdad es que el uniforme te sienta muy bien —dijo Joana.

—No me gusta ir así por la calle, pero acabo de terminar de trabajar, y si me iba a casa a cambiarme, no hubiera llegado a tiempo a la reunión. Hoy no me la quería perder.

—Sí, la verdad es que la presencia de Abraham Lunel es todo un acontecimiento —dijo Joana.

Almu se acercó a la mesa.

—Ostras, Charly, ¿te has alistado en el ejército o algo así? Estás muy guapo, te sienta bien el uniforme militar.

—Gracias, Almu. Vengo del trabajo sin pasar por casa. No es ropa militar, a pesar de las insignias y los galones —repitió Charly.

De repente oyeron como una especie de taconazos. Se giraron hacia la puerta y vieron a Fede, Xavier y Bonet acercándose a la mesa mientras imitaban un desfile militar de Corea del Norte, con ese paso de ganso tan exagerado y ridículo.

No pudieron evitar reírse a carcajadas.

—¡Mirad que sois payasos! —dijo Rebeca.

—Todo sea por nuestro amado líder supremo, Kim Yong Charly —dijo Fede, con una reverencia.

—Ya me estoy arrepintiendo de no haber pasado por casa a cambiarme de ropa —dijo Charly, riéndose también.

En ese momento llegó Carmen, acompañada de su jefe, Jaume Andreu.

—Hola a todos —dijeron ambos. Se quedaron mirando a Charly, sonrieron, pero no hicieron ningún comentario. Había miradas que decían más que las palabras.

—Bueno, ya estamos todas y todos, tan solo falta el padre de Rafa —dijo Rebeca.

No había terminado de decir la frase, cuando se acercó hasta la mesa una persona de aspecto algo desaliñado, pelo largo blanco y un gran bigote del mismo color. El aspecto le hacía parecer mayor, pero Rebeca no creía que superara los sesenta años.

—¿Sois vosotros el club?

Rebeca estuvo a punto de preguntarle «¿Y es usted Albert Einstein?», pero se contuvo.

—Sí —dijo Joana—. Es un verdadero honor conocerle en persona, señor Lunel. Soy Joana Ramos, profesora de Historia del Arte en la Facultad de Geografía e Historia de la Universidad de Valencia.

—Por favor, no me llaméis señor Lunel, con Abraham será suficiente. Ya sé que parezco un anciano con estos pelos que merecen un buen peluquero, pero podéis tutearme.

Todos se presentaron.

En el caso de Abraham Lunel, omitieron la tradicional bienvenida a los novatos en el *Speaker's Club* consistente en beberse una pinta de la cerveza irlandesa *Murphy's Irish Red*. Joana les había avisado por mensaje de que era abstemio. En su lugar se pidió un zumo de tomate.

—Hablé ayer con tu hijo Rafa. Me contó que está viviendo en México —dijo a modo de introducción Charly, para iniciar la conversación.

—Sí, ya tenía ganas de que se marchara —dijo Abraham—. No me malinterpretéis, me llevo muy bien con él, pero yo, a su edad, ya llevaba tres años viviendo solo. Creo que los jóvenes de hoy en día tardáis demasiado en abandonar el nido materno, y eso no es bueno.

—Estoy completamente de acuerdo —dijo Xavier, que vivía solo.

—Pues yo vivo como Dios en casa de mis padres —dijo Fede—. Que me dure muchos años.

Abraham centró el tema de la conversación.

—Yo también hable ayer con mi hijo y me comentó que habían llegado a vuestras manos unos dibujos de seis siglos de antigüedad.

—¿Qué te contó exactamente? —preguntó Rebeca.

—Poco más, tan solo que no los comprendíais y que necesitabais ayuda. Ese periodo histórico es mi especialidad y me dejó algo intrigado. Pasado mañana parto para Santiago de Chile, tengo que dar una conferencia allí, pero esta tarde la tenía libre, así que aquí me tenéis, para ver si os puedo echar una mano.

—¿No te dijo nada más? —siguió Rebeca.

—No, nada más.

—Pues vaya, es una historia larga de contar. Intentaré resumirla desde el principio sin omitir nada.

—Adelante, esta tarde no tengo prisa.

Rebeca inició su relato.

—Desde hace tres años escribo una sección de Historia para el periódico *La Crónica*. El martes de la semana pasada se presentó en la redacción la señora condesa y me entregó unos documentos que...

—Perdona, Rebeca, ¿qué condesa? —le interrumpió el profesor Lunel.

—Disculpa, he contado tantas veces la historia que ya doy por supuesto que todo el mundo conoce los detalles. Los documentos me los entregó la condesa de Dalmau en persona, en el periódico *La Crónica.*

Abraham Lunel se levantó de su silla de un salto, tirándola al suelo de forma involuntaria. Su rostro se había trasmutado completamente, parecía otra persona. Era la sorpresa personificada.

—¿La condesa de Dalmau? ¿Estás segura? ¡No puede ser! —dijo Abraham, mientras hacía gestos con sus manos.

Todos se quedaron algo desconcertados por la extraña reacción. No se la esperaban ni la entendían.

«¿Qué le ocurre?», pensó Rebeca. «Parece que le haya nombrado al mismísimo Diablo, si tan solo es la condesa de Dalmau».

Samuel, Gabriel y Jucef seguían agazapados junto a las rejillas de ventilación de la sinagoga, muy asustados. Siguieron pasando sombras por delante de ellos, hasta que, de repente, todo volvió a quedar en silencio.

Los tres se quedaron mirándose, con cara de pasmados.

—¿Y ahora qué hacemos? —dijo Jucef.

Samuel no sabía bien qué decir.

—Vamos a ver si conseguimos observar o escuchar a los siniestros a través de las rejillas —dijo.

Los tres se pusieron a mirar el interior de la sinagoga. Como era de esperar, no se veía apenas nada. Las rejillas estaban situadas a ras de suelo, y los asientos les tapaban gran parte de la visión de la sala central.

Escucharon algunas voces que provenían del interior.

—No se ve nada, pero si permanecemos en total silencio, igual los escuchamos — dijo Samuel.

Se oían voces dentro de la sinagoga.

—Bienvenidos. Como sabéis, suspendimos la anterior reunión porque aún no habían vuelto todos los miembros que habían salido hacia las diferentes ramas del árbol. Ahora ya estamos los diez.

Gabriel se quedó mirando a Samuel con cara de absoluta sorpresa.

—¡Es una reunión del Gran Consejo! —le susurró al oído de Samuel— ¡Y la suspendieron! Por eso el domingo pasado no acudió nadie. No la cambiaron de lugar porque nos descubrieran, como pensábamos.

Samuel ya lo había comprendido cuando vio pasar la última sombra. No levitaban, lo que ocurría es que las capas negras

235

que llevaban les tapaban hasta los pies. Desde donde estaban situados, a ras de suelo, y con la poca luz que había, daba esa sensación.

Gabriel se quedó mirando a Samuel.

—Tú ya lo sabías, ¿verdad? ¿Y por qué no me lo habías dicho? ¡Estaba temblando de miedo!

—Dejad de cuchichear, que no se oye lo que dicen los siniestros —dijo Jucef.

—Escucharemos primero al número cinco, que ha estado en la aljama de Toledo —dijo el número uno.

Empezó a hablar el número cinco.

—No tengo gran cosa que contar que no sepáis ya. Los cristianos han endurecido su actitud hacia nosotros. Nos han prohibido rezar alguna de nuestras oraciones como la *Birkat-ha-minum*, y nos obligan a llevar ropa con divisas, para distinguirnos de ellos. Vamos marcados igual que las reses de una ganadería. Vivimos encerrados, solo permiten salir de la judería a los comerciantes y artesanos, y siempre en lugares públicos. No podemos ni pasear con libertad. Las predicaciones del arcediano de Écija cada vez tienen más alcance y ya sabéis que nos odia a muerte. La situación es muy tensa y en cualquier momento puede saltar por los aires. La gente está asustada.

—¿Has estado con Rabbi Yehudá?

—¡Claro! ¿Cómo iba a estar en la judería de Toledo y no visitar al nieto del gran Aser Ben Yehiel? Él mismo me ha puesto al día de toda la situación. Está muy preocupado. Aunque la judería sea la más grande del reino, todos se sienten inseguros. La situación económica es muy mala. Se devaluó la moneda a causa de la guerra del rey Juan I con el duque de Lancaster. La población está pasando verdaderas calamidades —el número cinco hizo una pequeña pausa—. Rabbi Yehudá piensa que los cristianos están buscando un chivo expiatorio a todos sus males, y parece ser que han elegido a los judíos. No se atreven con los musulmanes porque el Reino Nazarí de Granada tiene prisioneros cristianos que podrían ejecutar. Sin embargo, nosotros somos un blanco fácil para descargar todo su odio. Opina que estamos en el centro de la diana y que, en cualquier momento, saltará la chispa. Es cuestión de tiempo, y opina que no falta demasiado.

—Lo conozco personalmente. Si Rabbi Yehudá está preocupado, entonces nosotros deberíamos estarlo también — dijo otra voz.

El número uno continuó.

—Gracias por tu esfuerzo e información número cinco. Ahora escucharemos al número ocho.

—Llegué hace dos días de Córdoba. Allí la situación es muy parecida a la de Toledo. He estado con mi familia y me han contado cosas atroces. La violencia se respira en el ambiente en toda la judería.

Era una voz muy joven, Samuel calculaba que sería poco mayor que ellos.

—¡Hay un siniestro que es un muchacho como nosotros! — dijo Jucef, completamente abstraído por la situación.

—El arcediano Ferrand Martínez campa a sus anchas. Tiene muchos seguidores que se hacen llamar matadores de judíos. A pesar de nuestros protectores, mi familia está muy asustada, hasta el punto de que me preguntaron si se podían venir conmigo a Valencia. Piensan que, si la chispa prende en Sevilla, la siguiente en arder sería Córdoba, y creo que no les falta razón, por lo que he observado.

—Eres consciente de que no pueden venir, número ocho. Cuando te incorporaste al Gran Consejo ya sabías que no volverías a ver a tu familia. Has tenido suerte y, por las circunstancias, has podido estar con ellos otra vez. Pero ya no sucederá más.

—Lo sé número uno. Lo comentaba simplemente para que comprendierais el nerviosismo que existe entre nuestro pueblo. Las cosas no están nada bien.

—De hecho, parecen estar peor de lo que me temía. Ahora escucharemos al número nueve, que acaba de llegar hoy mismo desde la aljama de Sevilla.

—¡Qué casualidad! —dijo Jucef—. Mi padre ha vuelto de Sevilla hoy también.

Samuel y Gabriel se miraron, completamente horrorizados.

Se temían lo peor, en tres, dos, uno...

78 EN LA ACTUALIDAD, JUEVES 10 DE MAYO POR LA TARDE

En la reunión del *Speaker's Club*, todos se habían quedado sorprendidos por la reacción fuera de lugar de Abraham Lunel, al escuchar nombrar a la condesa de Dalmau. Les pareció algo incomprensible y fuera de lugar.

Rebeca continuó su explicación.

—Sí, la condesa de Dalmau. Vino desde Lisboa a Valencia para solucionar unos problemas con la herencia de su difunto esposo.

Abraham se dio cuenta de que todos se habían desconcertado por su repentino comportamiento. Intentó justificarse.

—Perdonad mi reacción, conocí a la condesa de Dalmau hace muchos años —dijo, a modo de disculpa, mientras recogía su silla y volvía a sentarse junto con los demás— ¿Y qué quería exactamente?

—Me contó que, haciendo un inventario de bienes para Hacienda, había descubierto una caja fuerte de la que no tenía conocimiento. La abrieron y en su interior aparecieron unos extraños dibujos que no entendía. Pensó que quizá yo, al escribir una sección de Historia en *La Crónica*, podría desentrañar su significado.

Cada vez la cara de Abraham era de mayor sorpresa. Ahora parecía aturdido.

—No comprendo nada —dijo al fin. Estaba verdaderamente perplejo.

—Ni yo, pero parece que leía mi sección del periódico con cierta frecuencia y consideró que tendría más conocimientos que ella para poder entender los papeles y dibujos que había encontrado.

Abraham parecía cada vez más desconcertado a medida que avanzaba la conversación. Rebeca notaba la penetrante mirada de Abraham sobre ella. Casi la podía sentir. «Creo que se ha dado cuenta de mi perplejidad», pensó Rebeca.

—Veo que me miras con cara de sorprendida Rebeca. No es por lo que crees, estoy seguro de que tus conocimientos de Historia son excelentes —dijo Abraham.

—No, no estoy sorprendida —mintió lo mejor que pudo.

Abraham Lunel se quedó mirándola otra vez. Después de unos segundos, continuó hablando y soltó la bomba.

—Estoy extrañado porque la condesa de Dalmau estudió Historia, incluso se doctoró *cum laude*. Fue una de las primeras mujeres de España. Además, su tesis versó sobre los siglos XIV y XV en la Península Ibérica, en concreto sobre las relaciones entre los cristianos y las diferentes minorías religiosas —dijo al fin.

—¡Atiza! —exclamó Fede.

—Esto sí que no me lo esperaba —dijo Joana—. No tenía ni idea.

La cara de sorpresa de todos los miembros del *Speaker's Club* era antológica, en especial la de Rebeca.

—En este momento la que no entiende nada soy yo. ¿Entonces para qué vino a verme la condesa? ¿Para qué me entregó esos documentos si era una experta en la materia? ¿Por qué fingió que no sabía nada si tenía unos conocimientos mucho más profundos que los míos?

—Esas son tres buenas preguntas para las que, en este momento, no tengo respuesta —contestó Abraham.

Todos estaban perplejos.

Abraham se recompuso y tomó la palabra.

¿Puedo ver esos dibujos? —preguntó, en un tono de cortesía.

—Por supuesto.

Entre todos despejaron la mesa. Rebeca se puso de pie, sacó el sobre del portafolios, y los extendió

Al verlos, Abraham Lunel pegó un salto. Parecía que los ojos se le iban a salir de sus órbitas.

—Le cedo la palabra a Jaume Andreu —dijo Rebeca—. Él fue la persona que, junto con Carmen, nos permitieron avanzar en la comprensión de estos dibujos.

—Gracias, Rebeca —dijo Jaume.

Empezó contando la idea que tuvo Carmen de superponer el dibujo de las líneas y los círculos sobre un plano de la Valencia medieval. Coincidían exactamente las puertas de la muralla con los círculos y sus iniciales. También informó a Abraham acerca de sus deducciones para fijar la fecha de los documentos, en concreto entre los años 1390 y 1392.

Abraham todavía tenía la misma cara de sorpresa que se le había quedado, cuando vio los dibujos que había extendido Rebeca sobre la mesa. Parecía impresionado.

—Absolutamente impecable, Jaume —acertó a decir, mientras sacaba un pequeño papel y anotaba algo. Lo volvió a guardar en el bolsillo de su camisa.

Jaume siguió explicando el resto de sus deducciones con respecto al árbol de la vida y la indudable procedencia cristiana de los dos dibujos.

En este momento, Abraham parecía abstraído. De repente, sin venir a cuento, se levantó de golpe. Con el impulso tiró su silla al suelo de nuevo y de paso también el vaso con el zumo de tomate, que se derramó sobre su propio pantalón, causándole una gran mancha roja. El vaso se rompió contra el suelo con estrépito. Las personas que estaban sentadas en las mesas de alrededor se giraron a ver qué es lo que estaba ocurriendo.

—Disculpad —acertó a decir a duras penas.

Salió corriendo, tropezándose con Rebeca, a la que casi tira al suelo también.

—Lo siento —murmuró.

Desapareció por la puerta del *pub*, como alma que lleva el diablo.

Todos se quedaron desconcertados durante unos interminables segundos. Nadie se atrevía a hablar.

—¿Qué acaba de pasar? —acertó a decir Carmen.

—¿Este señor está bien de la cabeza? —preguntó Charly.

—¡Tanta expectación por un chalado! —concluyó Fede.

No sabían qué hacer ni qué decir.

Rebeca se recompuso un poco del golpe que había recibido del profesor Lunel.

Tampoco comprendía nada.

Samuel, Gabriel y Jucef seguían acurrucados, escuchando las voces que salían a través de las rejillas de ventilación de la Sinagoga.

—Adelante número nueve, cuéntanos cuál es la situación en Sevilla.

Samuel y Gabriel estaban conteniendo la respiración. En breve se temían lo peor. ¿Cómo reaccionaría Jucef? Gabriel no soportó la tensión y se tapó la cabeza con las manos. Se quedó esperando el golpe habitual.

—Como os acaba de decir el número uno, esta misma mañana he regresado de la judería de Sevilla —empezó a decir el número nueve.

Jucef pegó un salto y se puso en pie.

—¡Esa voz la conozco! —dijo en voz alta, con los globos oculares fuera de sus órbitas.

—¡Calla, que nos van a oír! —le dijo Samuel, alarmado.

Jucef estaba completamente alterado, completamente fuera de sus casillas.

—¿Qué me calle? ¡Es la voz mi padre! ¡Mi padre es un siniestro! —dijo, casi gritando.

De repente se hizo el silencio en la sinagoga. Escucharon como habían interrumpido su conversación.

—¡Un momento! ¿Qué han sido esos ruidos? —dijo el número uno con un tono de voz más potente, señalando hacía dónde estaban agazapados.

—¡Nos han descubierto! ¡Claro, con los gritos que has dado! —dijo Gabriel, asustado, mirando a Jucef.

Samuel estaba preocupado. La situación se les escapaba de las manos. Se levantó de un salto y se dirigió a sus amigos.

—Tenemos que irnos de aquí y escondernos alejados de las rejillas. Si han escuchado de dónde provenían las voces, vendrán directamente hacia nosotros. En ningún caso nos pueden descubrir.

Jucef no reaccionaba. Lo cogieron entre los dos, cada uno de un hombro y se dirigieron a la parte trasera de la sinagoga. Vieron unos arbustos bastante descuidados y frondosos. Aprovecharon para esconderse, como pudieron, detrás de ellos. El lugar no era el ideal, pero estaba oscuro y esperaban pasar inadvertidos.

De repente, vieron aparecer varias sombras. Dieron la vuelta a la sinagoga, hasta dónde se podía llegar por los muros que la rodeaban y volvieron. Miraron los andamios que los artesanos habían montado para reparar las ventanas rotas, que aún seguían instalados.

—Por aquí no se ve nada —dijo una voz.

Siguieron buscando alrededor de la sinagoga hasta que se quedaron en pie, muy cerca de los arbustos donde estaban ocultos. Los tres estaban conteniendo la respiración. Jucef, de hecho, parecía que no respiraba de verdad.

«Si andan cuatro pasos más hacia atrás, nos descubren», pensó aterrado Gabriel.

De repente empezaron a hablar entre ellos.

—No hay nadie, todo está en calma —dijo una voz.

—¿Quién va a merodear a estas horas de la noche por la sinagoga? —dijo otra voz.

—No se ve nada, habrán sido gatos cazando ratas, que esto está infectado.

—Supongo. Volvamos dentro y continuemos con la reunión.

Se marcharon por donde habían venido. Todo quedó en silencio de nuevo.

Jucef se quedó mirando a Samuel y Gabriel con un gesto de evidente enfado. Tenía la cara roja de cólera.

—Supongo que tenéis algo que contarme, ¿no? Esa patraña de los siniestros ya no me la trago. ¿Qué es lo que está pasando aquí?

Gabriel estaba asustado.

—Luego hablamos Jucef. Volvamos a las rejillas, a ver si podemos seguir escuchando algo —dijo Samuel.

80 EN LA ACTUALIDAD, JUEVES 10 DE MAYO POR LA NOCHE

Joana y Rebeca volvieron a casa con bicicleta, en completo silencio. Al llegar, se dirigieron directamente a la cocina. Allí estaba Tote, cenando los restos de los canelones que habían sobrado del mediodía. Se quedó mirándolas.

—¿Qué ha pasado en vuestro club esta tarde que venís con esas caras? — preguntó con curiosidad.

—Pues si quieres que te diga la verdad, aún no lo sé — contestó Rebeca.

—Algo muy extraño. ¿Sabías que hoy venía el historiador Abraham Lunel al *Speaker's Club*? —empezó a explicar Joana.

—Sí, claro, me lo habéis dicho este mediodía. Algo de memoria tengo.

Su hijo Rafa no le había puesto en antecedentes, así que Rebeca empezó a explicarle la historia desde el principio. Le contó que la condesa de Dalmau le visitó en el periódico. Cuando escuchó esas palabras, ya empezó a comportarse de forma algo extravagante. Se disculpó diciendo que conocía a la condesa desde hacía mucho tiempo, pero la verdad, no me pareció motivo suficiente para justificar su exagerada reacción. Tenías que haber visto su cara. Pero eso no era nada comparado con lo que faltaba por venir.

Rebeca escuchaba en silencio. Tote estaba muy pendiente.

—Después, Abraham nos ha informado de un hecho sorprendente. Que la condesa era doctora en Historia y que su especialidad era precisamente el siglo XIV, cuando se supone que se crearon esos dibujos. En consecuencia, era una experta en la materia, no la ignorante por la que se hizo pasar en el periódico ante Rebeca.

—¿En serio? — dijo Tote, ahora con otra expresión en su rostro—. Eso sí que es asombroso.

Joana siguió con el relato.

—Luego, le mostramos los papeles, y Jaume Andreu empezó a explicarle el descubrimiento de Carmen y sus deducciones. Cuando Jaume casi había terminado su exposición, de repente, y sin venir a cuento, se levantó de golpe y se fue corriendo, sin decir nada. Por el camino se tiró su vaso de zumo de tomate por encima y se tropezó con Rebeca, que casi sigue el mismo camino que el vaso hacia el suelo.

Tote se quedó mirando a ambas con cara de extrañada.

—¿Sabéis que os pasan cosas muy raras últimamente? No son normales.

Rebeca seguía callada. Dirigiéndose a su sobrina, Tote le preguntó.

—¿Y tú no tienes nada que decir? Estás extrañamente callada.

—Joana lo ha explicado perfectamente. Yo tampoco entiendo nada.

Rebeca bostezó.

—Ahora me vais a disculpar. Mañana, como todos los viernes, tengo clase en la Facultad y me toca madrugar. Me voy a la cama. Ni el idiota de Abraham Lunel va a impedir que me duerma.

—Buenas noches, Rebeca, descansa —le dijeron ambas.

En realidad, Rebeca no estaba cansada, pero no le apetecía hablar con su tía y Joana de ese tema. Ya empezaba a estar algo saturada. Se desvistió, se colocó el pijama y dejó lo que llevaba puesto en el canasto de la ropa sucia. Cuando soltó el pantalón, observo que algo sobresalía de su bolsillo delantero izquierdo.

«¿Eso qué es?», pensó, mientras lo sacaba con cuidado.

Era un pequeño papel con algo escrito. Lo leyó.

«En mi casa mañana a las cinco. Tú sola».

Al principio no lo entendió, pero se quedó pálida cuando comprendió la forma en que había llegado esa nota al bolsillo de su pantalón. Estando en el club, había observado cómo Abraham Lunel escribía algo en un papel y lo guardaba en su camisa. Cuando se levantó de golpe y se fue del *pub* casi corriendo, se tropezó con ella. En ese momento debió introducir la nota en el bolsillo de su pantalón.

«¿Para qué querrá hablar conmigo a solas?»

Samuel, Gabriel y Jucef volvieron lo más rápido que pudieron a las rejillas de ventilación de la sinagoga, comprobando antes que no hubiera ninguna sombra a la vista.

—Escucha Jucef, luego te lo explicaremos todo, pero debes guardar silencio y no sorprenderte por nada de lo que escuches de ahora en adelante. Te pido que confíes en nosotros —dijo Samuel.

—¿Qué quieres decir? ¿Qué aún voy a oír cosas más extrañas?

—Sea lo que sea lo que escuches, por favor no se te ocurra volver a gritar, ¿vale? Me has asustado hasta a mí —dijo Gabriel.

Jucef se le quedó mirando.

—Tú vas a cobrar después, *gallina*.

—Callaos de una vez e intentemos escuchar lo que están diciendo dentro de la sinagoga —puso paz Samuel.

El interior estaba en silencio. Pudieron escuchar los pasos de las personas que habían salido al exterior, regresando a sus asientos.

—No había nadie, probablemente hayan sido los gatos —dijo una de las voces que había estado al lado del arbusto.

—Bueno, continuemos —dijo el número uno—. Adelante número nueve, ¿puedes contarnos cuál es la situación en Sevilla?

—Lo primero, ha sido extraño volver a reencontrarme con Sevilla, después de tantos años. Aún se aprecian los daños del terremoto, Yo era un niño entonces.

—Sabemos qué hace tiempo que saliste de allí para no volver, Isach Figues, pero era necesario, y nadie mejor que tú conoce la judería, ya que te criaste allí —le contestó el número uno.

—Cuando me uní al Gran Consejo y vine a Valencia, me dijisteis que jamás regresaría a Sevilla. Pensaba que así sería. He borrado mi pasado, como me pedisteis.

Jucef estaba atónito.

—¿Mi padre nació en Sevilla? No tenía ni idea, siempre me dijo que había nacido aquí.

Isach, el número nueve, continuó su relato.

—Ya sabéis que después de que matáramos al traidor y ladrón de Yusaph, aquel sucio *almojarife* real, las cosas no volvieron a ser como antes en Sevilla. Nos retiraron algunos privilegios y murieron algunos amigos, pero al final conseguimos que el tema quedara en el olvido. La judería estaba en relativa calma. Ahora las cosas son diferentes. El arcediano Ferrand Martínez tiene dominados a todos los cristianos de la ciudad y habla de matar judíos. Nadie parece poder ni querer callarlo. Dado que el arzobispo Barroso falleció, en la actualidad, es la máxima autoridad de la Iglesia en la ciudad. No podemos salir de la judería con seguridad, e incluso dentro de ella ha habido alguna muerte y saqueo. La situación es muy complicada.

—¿Qué hace nuestro pueblo allí? La judería de Sevilla es muy importante, es la más grande del reino, después de la de Toledo —dijo el número uno.

—He estado con el pañero Judah Aben Abraham, que, como sabéis, es una de nuestras personas de confianza en Sevilla. En un principio, el rey Juan I de Castilla intercedió por nosotros, pero el arcediano era el confesor de su primera mujer, Leonor de Aragón y, en consecuencia, todos los intentos fueron infructuosos. Después del fallecimiento de Leonor, le enviaron más misivas. Judah me ha dicho que, desde la muerte del arzobispo de Sevilla, el arcediano está descontrolado. Temen que, si termina falleciendo el rey de Castilla, la situación se vuelva explosiva e inestable para nuestro pueblo. Hay mucho miedo.

—Número siete, ¿tienes algo que decirnos? —preguntó el anciano número uno.

El número siete se tomó unos segundos para responder. La expectación en el Gran Consejo era máxima.

—Sí. El rey de Castilla, Juan I, ha muerto.

Se formó un gran revuelo en la sala de la sinagoga. Todos intentaban hablar a la vez. Se palpaba la extrema preocupación en el ambiente. La afirmación del número siete había sido toda una bomba.

—¡Esa voz también la conozco! ¡Es tu madre! —dijo con cara de alucinado, mirando a Gabriel— ¿Qué hace aquí, que no está en su casa? ¿Mujeres en un consejo? ¿Qué más sorpresas voy a escuchar?

—Por favor, calma, hablemos de uno en uno —dijo otra voz en el interior de la sinagoga.

Jucef se volvió a incorporar.

—¡Y esa voz es de tu abuelo! —dijo, mientras miraba a Samuel con cara de asesino. Jucef hizo crujir los huesos de su mano, en un gesto claramente intimidatorio.

—Cuando esto termine, quiero que me contéis con detalle qué es lo que está sucediendo en realidad.

Se quedó mirando a Samuel y Gabriel.

—Por vuestras caras deduzco que ya conocíais esto. Espero que luego me lo contéis absolutamente todo, con pelos y señales, porque si no, os machaco los huesos uno a uno —dijo Jucef, en un tono amenazante—. Os aseguro que no os va a gustar nada haberme engañado.

—No será necesario —contestó Samuel, en un tono tranquilo.

El ambiente que se respiraba era explosivo.

82 EN LA ACTUALIDAD, VIERNES 11 DE MAYO POR LA MAÑANA

Rebeca se despertó a las siete, como todos los días que tenía que asistir a clases en la Facultad. No había dormido demasiado bien. La nota de Abraham Lunel no la había dejado descansar. No sabía qué hacer, si acudir a la cita o no.

Se dio una buena ducha, se vistió y salió a la cocina.

Joana estaba sentada en la mesa, desayunando.

—Buenos días, Joana ¿Y mi tía? ¿Sigue durmiendo?

—Buenos días, Rebeca. No, se ha ido esta mañana bastante temprano.

Pensó si contarle a Joana la nota que Abraham Lunel le había dejado en su pantalón, pero resolvió no hacerlo. «Ni siquiera he decidido si voy a acudir», se dijo. Desayunó un par de tostadas con su correspondiente vaso de leche fresca y salió hacia la Facultad.

Esta mañana tenía tres horas de clase, que le sirvieron para despejar su mente.

A las doce ya había terminado. Además, los viernes no tenía que ir al periódico.

«¿Y ahora qué hago?», se preguntó. «Me voy a ver a Carlota, la pobre no está participando en las reuniones del *Speaker's Club* justo en el momento más emocionante».

Llegó a su casa. Como siempre, Carlota la recibió con un abrazo, aunque hacía apenas dos días que se habían visto. Así daba gusto visitar a amigas. Fue directamente al grano.

—Cuéntame, ¿cómo fue la reunión con el padre de Rafa Lunel?

Rebeca le puso al día de todos los detalles, con la espantada de Abraham incluida.

Carlota la estaba escuchando con mucha atención.

—¡Qué extraño! ¿verdad? —dijo.

—Sí, la verdad es que la huida fue algo sorprendente — contestó Rebeca.

Carlota se quedó mirando a su amiga a los ojos.

—No me refiero a la huida, algún motivo tendría para querer irse de esa manera tan precipitada. Lo verdaderamente extraño es que la condesa fuera doctora en Historia, ¿no lo entiendes?

—Pues no.

—La condesa, con toda probabilidad, sabía más de ese periodo histórico que tú misma. Entonces, ¿para qué te llevó los dibujos fingiendo ser una ignorante? Esa es la pregunta clave que hay que resolver.

—La verdad es que no lo sé.

—Pero yo sí.

—¿Cómo lo puedes saber si ni siquiera asististe a la reunión?

—Porque tan solo hay una respuesta posible.

—¡Carlota, no me asustes! Te veo ese brillo de ojos, cuando tu mente está a pleno rendimiento.

—La deducción no es tan difícil. Piensa en los elementos de la ecuación. Si los dibujos no son lo importante, porque se supone que la condesa tenía más conocimientos que tú para resolverlos, ¿qué queda en la ecuación? Mejor dicho, ¿quién queda?

Rebeca la miraba sin comprenderla.

Carlota se puso de pie.

—¡Pues tú, por supuesto! ¡La condesa quería verte a ti! — dijo en voz alta, señalándola de forma ostentosa.

—¡Pero si no sabía ni quién era! Preguntó por la gran Atenea, que es mi seudónimo en el periódico, no por Rebeca Mercader. ¡Hasta se sorprendió por mi juventud!

—Pues habrá una explicación para eso también, pero mi lógica sigue sirviendo. Piensa el motivo por el que la condesa quería verte.

A Rebeca no le apetecía seguir por ese camino, le asustaba un poco, así que decidió cambiar de tema y contarle la nota que Abraham Lunel le había dejado en el bolsillo de su pantalón.

A Carlota se le iluminó la cara. Parecía otra persona.

—Ahora ya está claro por qué montó el numerito de la huida.

—¿Numerito de la huida? ¿A qué te refieres?

—Lo que en realidad quería Abraham era dejarte ese mensaje en tu bolsillo. Todo lo demás fue una impostura, una actuación de cara a la galería, una gran puesta en escena, con público y todo. Puro teatro. ¿No lo comprendes?

Rebeca la miraba con cara de no comprender nada.

—¿Tú crees?

—Yo no creo, sé.

—Pues lo que yo no sé es si acudir a la reunión.

—¿Qué me dices? —dijo Carlota— ¿Por qué te lo estás pensando?

—No lo tengo claro. Si lo piensas, al fin y al cabo, no conozco de nada al señor Lunel y me propone una cita a solas en su casa. No me parece muy normal.

—¡Por supuesto que debes acudir! Abraham Lunel no es un desconocido —le dijo, enseñándole su móvil—. Mira todas las entradas que aparecen en *Google* cuando pones su nombre, y absolutamente todas son elogiosas. Es una persona famosa en todo el mundo. Es una personalidad de alcance internacional. No es un cualquiera, aunque lo acabes de conocer en persona.

—Sí, eso es cierto —respondió Rebeca, mientras las leía.

—Está claro que sabe algo que te quiere contar solo a ti y no quiere compartir con el resto del club. ¿Cómo no vas a acudir? Porque no soy ni la mitad de guapa que tú, si no me disfrazaba de Rebeca y acudía yo misma a la reunión —dijo riendo Carlota, mientras se levantaba y empezaba a imitar sus movimientos de cintura.

—¡Oye, qué nos parecemos mucho! ¡Además, yo no muevo el culo así! —dijo Rebeca, sin poder evitar reírse.

83 | 7 DE NOVIEMBRE DE 1390

Al fin se hizo la calma en la reunión del Gran Consejo.

—Si no hablamos de uno a uno no se nos va a entender —repitió el abuelo de Samuel, intentando poner orden, después de la bomba informativa que había soltado la madre de Gabriel.

A pesar de ello, la intranquilidad se respiraba en el ambiente.

—Número siete, ¿nos puedes informar con más detalle de la muerte del rey de Castilla?

—Claro. Recordaréis que, en una reunión anterior del Gran Consejo, os conté que el rey Juan I de Castilla había resultado herido por una caída de su caballo y que no habían permitido a nuestros maestres médicos visitarle. En su momento nos resultó extraño, pero ahora ya conocemos el motivo. El rey falleció en el acto, cuando se cayó del caballo. El obispo de Toledo lo cogió en sus brazos y fingió que estaba vivo, ocultando su muerte a todos los presentes, nobles incluidos.

—Muy interesante, pero, ¿para que quería el obispo esconder que el rey había muerto? —dijo una voz.

—La finalidad era facilitar la sucesión al trono del hijo menor del rey, Enrique, que tiene tan solo once años de edad. Muchos nobles castellanos ambicionaban el trono. El obispo, con esta jugada magistral, ha ganado tiempo y ha organizado una sucesión ordenada en la corona, evitando conflictos armados entre diferentes aspirantes.

—¿La noticia es de público conocimiento? —preguntó otra voz.

—Todavía no, pero lo será muy en breve porque los rumores ya vuelan. Tened en cuenta que el rey fallecido aún no ha sido ni enterrado, aunque ha pasado casi un mes desde la fecha de su verdadera muerte.

La preocupación entre los miembros del Gran Consejo era evidente. La tensión era máxima.

—¿Qué ocurrirá con nosotros ahora?

—Nada bueno, ya os lo dije la última vez —dijo el número siete—. Había dos escenarios posibles y creo que este es el peor de los dos. Con un rey de tan solo once años, con total seguridad se producirá un vacío de poder. ¿Y sabéis quién se aprovechará?

Mayionam hizo una pequeña pausa.

—¡Exactamente quién estáis pensando! Nuestro enemigo común, el arcediano Ferrand Martinez y sus huestes sedientas de sangre hebrea, los conocidos como matadores de judíos. El rey, a su manera, les suponía un freno a sus locuras, pero ahora ha desaparecido. Me temo que un niño de once años no podrá imponer su autoridad con facilidad.

—¿No estarás exagerando un poco, Mayionam? La Iglesia podría nombrar a otro arzobispo en Sevilla que cubriera la vacante del fallecido cardenal Barroso, y que meta en cintura a ese loco del arcediano de Écija —dijo una voz.

—Mis fuentes me dicen que eso no ocurrirá en breve. Siento ser portadora de tan malas noticias, pero me temo que las cosas van a empeorar —dijo la madre de Samuel.

—¿Aún más? —preguntó el padre de Jucef.

—Creo que, después de esta noticia, y sobre todo después de todo lo que hemos conocido de otras aljamas, debemos pasar a la segunda fase. Ya no lo podemos demorar más —dijo el anciano número uno—. Nos estamos jugando nuestro futuro.

Se produjo un pequeño murmullo en la sinagoga. El nerviosismo de todos los presentes era más que evidente.

—Miembros del Gran Consejo, empezad los preparativos para la gran partida —dijo con gran solemnidad el número uno.

El silencio se podía cortar con un cuchillo.

84 EN LA ACTUALIDAD, VIERNES
11 DE MAYO POR LA MAÑANA

Tote estaba preocupada por Rebeca. Tenía una extraña sensación, su instinto le decía que algo no iba como debiera. A lo largo de su carrera siempre le había hecho caso a su instinto y le había funcionado muy bien. No pensaba hacer una excepción en esta ocasión.

Había demasiados cabos sueltos en esta historia. Ya lo había comentado con la inspectora Cabrelles y no le había dado importancia a todos los detalles. Tenía que reconocer que la inspectora tenía razón, considerados de forma individual no dejaban de ser eso, meros detalles, pero todos a la vez no lo parecían en absoluto.

Estaba intranquila.

Tenía que averiguar algo más, pero de una forma discreta. No podía utilizar los cauces oficiales porque no había motivos oficiales para ellos.

Afortunadamente había otras alternativas, además conocía a la persona adecuada.

Esta mañana había salido pronto de casa para hacerle una visita.

Después de una amplia conversación, todo estaba acordado y en marcha.

Ahora solo faltaba esperar a los resultados.

85 7 DE NOVIEMBRE DE 1390

Todos los miembros del Gran Consejo fueron abandonando la sinagoga, que quedó, como era habitual a esas horas de la noche, sumida en la penumbra y en completo silencio.

—Elegid un hueso, que os lo voy a machacar —dijo Jucef, con evidente tono de enfado.

Samuel se puso muy serio.

—No nos vas a machacar nada, Jucef. Ahora escucha lo que te voy a contar y no se te ocurra interrumpirme —dijo con voz autoritaria, mirándolo fijamente a los ojos.

Sorprendentemente, Jucef se quedó callado.

Samuel le contó cómo, hacía más de un año, había asistido casi por accidente a la primera reunión del Gran Consejo. Le detalló todas las demás y su contenido. Jucef escuchaba en completo silencio. Cuando Samuel terminó, empezó a preguntar.

—¿Eso es todo? ¿Y qué significa?

—Ahora conoces lo mismo que nosotros. Tampoco sabemos qué significa nada —contestó Samuel—. Bienvenido al grupo.

—Lo primero, ¿cuál es el motivo de la creación del Gran Consejo de los diez? Jamás había oído de su existencia y me paso la vida en la calle, no como vosotros, que siempre estáis entre libros.

—En la calle no vas a escuchar nada de todo esto. La prueba la tienes en tu propia casa. Tu padre es uno de los miembros y ni siquiera lo sabías —dijo Gabriel.

—¿Y tu madre? ¿Desde cuándo se ha visto una mujer en un consejo? —siguió Jucef, dirigiéndose a Gabriel—. Además, parece tener bastante poder entre los diez. Resulta completamente increíble.

—También nos extrañó a nosotros, y, como comprenderás, todavía más a mí —dijo Gabriel.

—¿Y qué papel tenéis vosotros dos en todo este plan? ¿Y por qué yo no? —seguía preguntando Jucef.

—Escucha, ninguno de los dos tenemos ni la más remota idea de qué pintamos en esta historia. Nadie nos ha contado nada —contestó Samuel.

—¿Seguro? No me estaréis escondiendo algo, ¿verdad?

—¿Tu qué crees?

Jucef vio la cara de enfado de Samuel y prefirió no dudar. Decidió cambiar el rumbo de la conversación.

—¿Os habéis dado cuenta? Los tres tenemos familiares dentro del Gran Consejo, tu abuelo Samuel, tu madre Gabriel, y mi padre. Es curioso —dijo Jucef.

—¿Curioso? A mí me da terror —dijo Gabriel.

—¿Qué será ese árbol que custodian y dónde estará escondido?

—No lo sabemos, Jucef —contestó Samuel.

Gabriel ya no tenía ningunas ganas de permanecer allí, con Jucef a su lado.

—Es muy tarde —dijo—. Volvamos a casa, o van a notar nuestra ausencia y nos van a descubrir.

Los tres marcharon hacia sus casas, en completo silencio.

86 EN LA ACTUALIDAD, VIERNES 11 DE MAYO POR LA TARDE

Rebeca había decidido, por fin, acudir a la cita con Abraham Lunel.

«Supongo que Carlota tiene razón, es una persona de fama mundial, no creo que pretenda hacerme nada malo», se dijo Rebeca para terminar de convencerse. «Además, Carlota suele acertar bastante en estas cosas, tiene un punto de brujilla».

La urbanización La Cruz de Gracia estaba a unos trece kilómetros de su casa, pero no le apetecía ir en bicicleta. Paró a un taxi. Cayó en la cuenta que desconocía en qué chalé residía Abraham Lunel. «Seguro que allí lo conocen», pensó.

Llegaron a la puerta de la urbanización. Había un guardia de seguridad. Rebeca le dijo a quién venía a visitar. El guardia le comunicó que el señor Lunel la estaba esperando y les indicó cómo llegar hasta su casa.

«Me está esperando», se dijo Rebeca. «Pues sí que tenía la evidencia que iba a acudir a su cita», pensó. «Parece que tiene las cosas más claras que yo misma».

Abraham Lunel vivía en un magnífico chalé, con un jardín precioso y muy cuidado. Le recibió en la puerta con absoluta amabilidad. Pasaron al salón, que era enorme, con dos ambientes separados y una gran chimenea.

—Antes que nada, me gustaría disculparme por mi numerito de ayer en tu club. No sabía cómo salir de allí y dejarte un mensaje. No se me ocurrió otra cosa, lo siento. Espero que no te hiciera daño con mi tropezón.

—No, no me hiciste nada de daño. Lo que me dejó es sorprendida, a mí y al resto de los miembros del club, que no entendieron tu repentina espantada.

—Ya lo imagino. Supongo que cuando viste la nota que te dejé en tu pantalón ya comprenderías mi pequeña actuación. Iba dirigida a ti.

—Más o menos —dijo Rebeca, pensando en la conversación que había tenido hacía un rato con Carlota. Como era usual, tenía razón. «Uno a cero», se dijo.

—¿Te apetece tomar algo? Me temo que no te puedo ofrecer una *Murphy's Irish Red* como en vuestro club. Ya sabes que soy abstemio, pero tengo zumo de naranja natural.

—Gracias, te acepto un vaso de zumo.

Abraham salió del salón hacia la cocina. Rebeca aprovechó para fijarse con más detenimiento en la casa. La verdad es que no le faltaba detalle, estaba claro que llevaba un tren de vida bastante elevado. También observó su limpieza. Era notable. Joana le había dicho que cobraba grandes sumas de dinero por dar conferencias. Desde luego que se notaba en la decoración de su chalé.

Abraham volvió con dos vasos de zumo y le dio uno a Rebeca.

—Bueno, vayamos al motivo por el que te he convocado con estos modos y con esta premura en mi casa. La conversación va a ser larga, así que cuanto antes empecemos, mejor.

Rebeca bebió un poco de zumo, mientras esperaba que Abraham comenzase la explicación.

—Tengo mucho que contarte y poco tiempo. Empezaré por lo que no sé. No me explico cómo la condesa te llevó esos papeles, cuando ella ya debía conocer su significado. Es algo que sigo sin entender. ¿Para qué iría a visitarte al periódico? Porque lo que está claro es que fue a verte a ti.

Rebeca se volvió a acordar de Carlota. «Ya vamos dos a cero», pensó, con cierto fastidio.

—¿Cómo sabe que la condesa conocía el significado de esos papeles? —preguntó Rebeca.

Abraham hizo un gesto con las manos.

—Porque es obvio. Yo también lo conozco.

Rebeca no pudo evitar sorprenderse.

—¿Y entonces todo el trabajo de Carmen y de Jaume no ha servido para nada?

—Al contrario. Han sido extraordinariamente sagaces, sobre todo con el dibujo de las líneas y los círculos que se corresponden con las puertas de las murallas. También ha sido meritoria la manera en que Jaume ha puesto fecha a los dibujos. Es verdad que había caminos más sencillos para todo ello, pero me pareció incluso poético su manera de resolver el enigma. Hasta ahí habían hecho un magnífico trabajo.

—¿Hasta ahí?

—Bueno, tampoco iban a acertar en todo.

Se hizo un incómodo silencio. Rebeca lo rompió. Había algo que no alcanzaba a comprender, y cuanto antes lo planteara mejor.

—Escucha Abraham, ¿por qué estoy yo aquí exactamente?

El profesor Lunel se la quedó mirando, sin comprender la cuestión.

—¿Por qué me preguntas eso?

—¿Por qué me estás contando todo esto a mi sola, en lugar de lucirte delante de los demás miembros del club con tus conocimientos? Seguro que hubieras triunfado y generado gran expectación.

Lunel ahora la entendía.

—Por algo muy simple, a ellos no les puedo contar la verdad. En realidad, tampoco podría contártela a ti, pero el hecho de que la condesa te eligiera me ha dejado profundamente intrigado. No sé por qué lo hizo, pero es algo que no me puedo permitir desconocer. Si la condesa te escogió, sería por algún motivo importante y lo debo averiguar cuanto antes. Para eso necesito compartir cierta información contigo, pero solo contigo, no con el resto de tu club.

«Tres a cero a favor de Carlota», pensó, esta vez divertida. Se quedó callada esperando que Abraham continuara con su explicación.

—Bueno, dejemos de lado lo que no sé y pasemos a lo que sí sé. Eres estudiante de Historia, permíteme que te pregunte, ¿qué opinión te merecen los judíos?

«¿Los judíos?», se extrañó Rebeca. «¿Qué tienen que ver los judíos con esta historia?»

87   12 DE NOVIEMBRE DE 1390

Gabriel decidió que tenía que hablar con Samuel. Lo que había descubierto hacía dos semanas, detrás del armario, le tenía muy preocupado. No sabía cómo planteárselo. Estaba claro que se iba a enfadar, al menos al principio. Pero eso no era lo que verdaderamente le preocupaba, estaba inquieto por su reacción final. No sabía qué iba a pensar Samuel. Su pequeño universo se podía venir abajo con cierto estrépito, no le cabía ninguna duda.

Decidió abordarlo hoy, al salir de clase. Ya no podía ocultar más su secreto. Samuel merecía conocerlo, aunque eso supusiera consecuencias de difícil e imprevisible alcance.

—Samuel, tengo que hablar contigo —le soltó Gabriel, así de sopetón.

—Claro, ¿qué quieres decirme?

—Siéntate.

—¿Por qué? Estoy bien así.

—Hazme caso, siéntate.

Samuel, sin entender nada, le hizo caso a su amigo y tomó asiento en una silla. Gabriel se quedó de pie.

—Vale, ya me he sentado. ¿Ahora qué? —preguntó Samuel, con una mezcla de extrañeza y curiosidad.

—He descubierto algo muy extraño que no comprendo. Mucho me temo que ni siquiera tú mismo lo conoces, y no creo que lo vayas a entender. Al menos eso creo. Lo contrario sería una sorpresa para mí.

Samuel se quedó mirando a su amigo, con una extraña expresión en su rostro.

—Supongo que por eso me has hecho sentarme en esta silla, para contármelo, ¿no?

—Sí, pero no sé cómo empezar. Ante todo, no me interrumpas hasta que termine toda mi historia. Créeme, es importante.

Gabriel le contó su descubrimiento. Al principio Samuel se enfadó mucho, como estaba previsto. Pensó varias veces en interrumpir a su amigo, pero se contuvo e hizo el esfuerzo de continuar escuchando. Cuando Gabriel concluyó el relato, ya se había olvidado del enfado, porque estaba absolutamente perplejo.

Le costó reaccionar.

—Es una broma, ¿verdad? —preguntó incrédulo, saliendo de sus pensamientos.

—No, no lo es.

Samuel no podía ni quería aceptarlo.

—Lo siento, no te creo. Es imposible.

—Mírame a los ojos. Todo lo que te he contado es cierto. ¿Para qué te iba a mentir en una cosa así?

Gabriel tenía razón, pensó Samuel. No tenía ningún sentido que su amigo se hubiera inventado semejante historia. Se quedó en blanco, sin comprender nada. Si lo que acababa de escuchar era cierto, nada tenía sentido.

Se preguntó si los últimos cuatro años de su vida habían sido una farsa.

Se negaba a creerlo.

«¿Mi abuelo es un fraude?»

88 EN LA ACTUALIDAD, VIERNES 11 DE MAYO POR LA TARDE

Rebeca se había quedado sorprendida por la pregunta de Abraham.

—¿Qué pienso de los judíos? —dijo, intentando ganar tiempo para buscar una respuesta lo más diplomática posible. Sabía que el profesor Lunel era judío y no pretendía comenzar la reunión con una discusión.

—Venga, que no es una pregunta tan difícil —dijo Abraham.

«¡Qué rayos! Con la verdad por delante», se dijo a sí misma.

—Pienso que están aniquilando sin ningún sentido a los palestinos.

Abraham se sobresaltó por la respuesta de Rebeca.

—No, no me has entendido. No te preguntaba por la política actual del Estado de Israel. Yo también creo que, únicamente con las armas, no se va a resolver el problema. La solución solo puede llegar a través del dialogo, aunque hablar de paz con unos radicales terroristas sea francamente difícil.

«¿Radicales terroristas?», pensó Rebeca. «¿Y vosotros qué sois, una ONG?»

—Te preguntaba por tu opinión acerca del pueblo judío, desde un punto de vista histórico —precisó Abraham.

Rebeca se quedó unos segundos pensativa.

—La verdad es que, para ser un pueblo tan antiguo, la historia no os ha tratado demasiado bien.

—¡Vaya manera de expresarlo! La verdad es que la culpa es mía, por hacerte una pregunta tan genérica. Voy a tratar de ser un poco más específico.

—Sí, porque no sé qué respuesta quieres obtener.

—¿Qué sabes de la historia de los judíos en la península ibérica, en lo que hoy se conoce como Sefarad?

—Ahora te comprendo. Sé lo que he estudiado en la Facultad, creo que los primeros restos arqueológicos de origen judío, de reciente descubrimiento, se remontan alrededor del siglo III antes de Cristo, ¿no es así?

—La presencia de nuestro pueblo en la península ibérica es bastante anterior, pero como no tenemos demasiado tiempo, demos un salto histórico y partamos de los romanos. Ellos nunca nos consideraron un verdadero pueblo, nos veían más bien como un grupo religioso, además, algo hermético. En general nos toleraban y, aunque gozábamos de cierta autonomía, vivíamos bajo su yugo y mandato. Más tarde, a comienzos del siglo VI, en la primera época de dominio visigodo de la península ibérica, no cambió gran cosa la situación. Había tolerancia hacia nosotros, aunque también vivíamos bajo su dominio. Hasta que llegó el rey Recaredo — explicó Abraham.

—Sí, sé que Recaredo se convirtió al catolicismo y persiguió a los judíos — intervino Rebeca.

—Recaredo marcó un punto de inflexión en nuestras relaciones con los visigodos. Pero la situación aún empeoró más con el resto de reyes que le sucedieron. Por ejemplo, el rey Égica nos convirtió en esclavos, a finales del siglo VII.

—Lo recuerdo, lo he estudiado.

—Entonces sabrás que, a principios del siglo VIII, en concreto en el año 711, se produjo la invasión musulmana. Para nuestro pueblo fue un verdadero alivio, porque se acabaron las persecuciones visigodas. Nuestras relaciones con los musulmanes fueron excelentes durante más de tres siglos. Vivimos una época de gran esplendor. Existió un gran mestizaje cultural y social, que permitió a ambos pueblos un progreso completamente desconocido en aquellos años.

—Pues a ver si aprendéis de la Historia y resolvéis vuestros problemas actuales —interrumpió Rebeca.

—Los musulmanes respetaban a los judíos porque los consideraban «gentes del libro», que es el nombre por el que el islam conoce a los practicantes de religiones monoteístas, es decir, a los que creen en un solo Dios, en contraposición a los politeístas o idólatras. Pero no nos desviemos del contexto histórico que quiero que comprendas.

—¿Qué contexto histórico?

—Estoy seguro de que enseguida lo verás. Estoy resumiendo muchísimo y omitiendo detalles para no ser demasiado pesado en mi explicación.

—No te preocupes, no olvides que estás hablando con una estudiante del último año del grado de Historia —dijo Rebeca con una sonrisa.

—Continuemos. En el año 1090 se produce la invasión de los almorávides, que eran una especie de soldados del islam bastante más radicalizados, que provenían del norte de África. La situación para nuestro pueblo cambió una vez más y volvieron las persecuciones. Posteriormente vendría la llamada reconquista cristiana y los judíos volvimos a cambiar de dominantes.

Abraham, de repente, se quedó en silencio.

—Aquí detenemos el relato. Ahora dime, ¿qué pauta histórica observas en el pueblo judío hasta el momento?

Rebeca se quedó pensando un instante.

—Veo que, durante muchísimos siglos, siempre habéis estado bajo el dominio de otros pueblos, religiones o culturas.

—¡Exacto! Los judíos hemos sido un pueblo sometido, tolerado en algunas ocasiones o despreciado y perseguido en otras, pero siempre, siempre bajo el dominio de otros y sin un territorio propio. El instinto de supervivencia que tenemos en nuestro ADN viene forjado por tantos y tantos siglos de sometimiento. Quizá si muchos de los «opinadores de la actualidad» conocieran algo de nuestra historia, podrían comprender mejor la defensa a ultranza que hace en la actualidad Israel de su Estado, y de su importancia para todos los judíos.

—Bueno, pero... —empezó a objetar Rebeca.

—No pretendo abrir otra vez ese melón, tan solo era un comentario inofensivo. Ni soy político ni me interesa la política actual. Además, ya te he dicho, antes de empezar la conversación, que creo en una solución dialogada al problema con los palestinos.

—Vale, vale... —dijo Rebeca, sin terminar de convencerse.

—No tenía que haber dicho nada, me desvía del lugar adónde quiero llegar.

—Eso, porque la verdad, no comprendo qué tiene que ver todo lo que me estás contando con los dibujos de la condesa.

—No tengas prisa, pronto lo entenderás todo.

Rebeca esperó que Abraham continuara su relato, entre incrédula y expectante.

—¿Cuál es la consecuencia de que el pueblo judío haya tenido tantos dominadores a lo largo de los siglos? —se preguntó Abraham, contestándose a sí mismo—. Pues que hemos convivido con multitud de culturas y religiones diferentes. Mucha gente ha cometido el error de considerar que éramos un pueblo hermético y cerrado, porque vivíamos en nuestros propios barrios y teníamos nuestras propias costumbres y normas. Pero es completamente falso. Los judíos, a lo largo de los siglos, fuimos una especie de esponja del saber de los demás.

—Entonces ¿no es cierto que vivíais encerrados sobre vosotros mismos?

—¡Claro que no! Como demostración de ello, observa en el idioma a través del cual se comunicaban los judíos en la Edad Media. A pesar de disponer de una lengua propia, el hebreo, apenas lo utilizábamos para cuestiones legales o litúrgicas. Adoptábamos el idioma del pueblo dominante. En Castilla y Aragón los judíos utilizaban como lengua habitual el castellano. A modo de curiosidad, ¿sabes que los judíos de la Valencia medieval hablaban valenciano entre ellos, hasta el punto de llegar a olvidar su propia lengua? Existen documentos que así lo atestiguan, datados a finales del siglo XV.

—Es interesante, no lo sabía.

—Por ejemplo, durante la dominación musulmana aprendimos su lengua, hasta el extremo de que participamos en las traducciones de sus libros más eruditos a las lenguas romances. Conocimos de materias tan diversas como la medicina, la botánica, las matemáticas, la filosofía o incluso la poesía.

—Si, he leído un libro acerca de la vida de Moses Maimónides.

—Es un buen ejemplo, aunque algo tardío. Ya sabrás que fue un rabino que vivió en el siglo XII, pero en realidad no se le conoce por esa faceta. Pasó a la posteridad por ser un gran médico y filósofo. Ya que me nombras a un médico, por ejemplo, dos siglos antes podríamos destacar a Hasday ibn Shaprut, que además de médico, dominaba el hebreo, el latín y el árabe con total soltura, y fue una persona muy influyente en el mundo musulmán.

—Vale, te compro el argumento. Erais un pueblo con amplios conocimientos, ¿y qué? —preguntó Rebeca.

—Ya veo que te estás impacientando un poco —dijo Abraham con una sonrisa en los labios. — Pero créeme, es importante que tengas este concepto muy claro. Luego volveremos con él.

—Estoy disfrutando con la conversación, pero sigo sin entender qué tiene qué ver todo esto con los dibujos de la condesa.

—Todo a su debido tiempo. Por cierto, ¿qué sabes de la cábala?

Rebeca puso cara de gran sorpresa ante esa inesperada cuestión.

«¿De la cábala?», pensó, absolutamente extrañada. «¿A qué viene esta pregunta ahora?

Definitivamente, ya no entendía nada.

Isaac, el abuelo de Samuel, se había levantado con un fuerte dolor en la espalda. Apenas se podía poner recto. Sentado en la mesa, tenía que estar medio encorvado.

—Voy a pasarme por la consulta de Isach Gabriel, a ver si me da algún remedio —dijo su abuelo, sentado en la mesa con su mujer y Samuel.

Isaac salió a la calle y entró por la puerta de casa de Isach. Aunque vivían en una casa con patio común, no estaba bien visto entrar en el domicilio del vecino directamente a través del patio compartido. De hecho, las leyes de la aljama lo prohibían expresamente, aunque hacía caso quién quería, que eran bien pocos.

—Hola, Isach —dijo cuando vio a su amigo maestre médico y compañero docente en la escuela talmúdica.

— Hola, Isaac, ya te veo. Dolor en la espalda, ¿verdad? —le contestó Isach cuando lo vio entrar encorvado en su consulta.

—Si, esta mañana me he levantado así.

—No te preocupes, ahora le digo a Mayionam que te prepare el ungüento habitual para estos casos y que te lo aplique con unas telas de presión. Siéntate y espera.

Isach salió de la habitación y al poco entró Mayionam con una palangana y unas telas.

—Hola, Isaac, me ha dicho mi marido que te duele la espalda.

—No.

—¿Qué dices? —preguntó con cara de absoluta sorpresa Mayionam.

—Tú aplícame el ungüento ese, no creo que me haga ningún daño, aunque no me duele nada la espalda. En realidad, he venido a hablar contigo.

Mayionam dejó encima de la mesa lo que llevaba en las manos.

—Podrías haberle dicho a Isach que querías hablar conmigo directamente. Lo sabe todo.

Isaac se levantó del asiento espantado.

—¿Qué? ¿Le has contado lo del Gran Consejo? —preguntó escandalizado.

—Desde el principio de nuestra llegada a la ciudad, hace ya bastantes años.

—¿Por qué? Sabes que no debíamos decir nada a nuestros familiares.

—Escucha, Isaac. No te olvides de mi segunda actividad. Es imposible que la pudiera ejercer sin el conocimiento de mi marido. ¿Cómo le podría explicar mis intempestivas ausencias y mis extraños ropajes cristianos?

Isaac se quedó pensativo.

—Supongo que tienes razón y será así, en cualquier caso, ya está hecho y no se puede revertir —dijo, al fin.

—Por cierto, ¿qué querías contarme? —preguntó Mayionam, con curiosidad.

Isaac se puso muy serio.

—Ha llegado el momento. En dos días hablaré con Samuel. Sabes que mi nieto y tu hijo son muy amigos. Siempre van juntos a todas partes. Supongo que ya conoces por qué te lo estoy diciendo.

A Mayionam, que era una mujer fuerte, le asomó una pequeña lágrima.

—¿Ya?

—Si, no podemos esperar más. Ya escuchaste al número uno en la última reunión, hemos pasado a la segunda fase. Además, tú sabes mejor que nadie cómo está la situación.

—Sé que tienes razón, Isaac, pero se me hace una montaña decírselo a Gabriel.

—Mi nieto Samuel tiene que estar preparado para la próxima reunión del Gran Consejo. Tú, quizá, aun puedas esperar algo más con tu hijo, pero ya sabes que los dos son muy amigos y que están siempre juntos. Espero que Samuel lo entienda y no le cuente nada, pero no te puedo asegurar que lo cumpla. Al fin y al cabo, no debemos olvidar que son solo niños, aunque con una gran responsabilidad sobre sus hombros.

—Lo entiendo. Hablaré con mi marido y juntos lo decidiremos —concluyó Mayionam—. Muchas gracias por el aviso Isaac. Te lo agradezco de verdad.

90 EN LA ACTUALIDAD, VIERNES 11 DE MAYO POR LA TARDE

—¿En serio me estás preguntando por la cábala? —dijo extrañada Rebeca, que no comprendía la cuestión.

—Si, completamente en serio.

Rebeca pensó la respuesta.

—Lo que sé es que, cuando uno quiere que el argumento de lo que sea suene como muy misterioso o críptico, lo mejor es recurrir a la cábala. Mano de santo, no se comprende nada de nada.

Abraham Lunel se rio con ganas.

—Sabes, llevo dando conferencias más de veinticinco años por todo el mundo, y muchas de ellas las inicio con esa misma pregunta. Eres original, jamás me habían contestado eso — dijo aun riendo Abraham—. Pero en realidad no me has respondido a la pregunta.

—Bueno, mi libro favorito es *El Péndulo de Foucault* de Umberto Eco.

Abraham sonrió.

—Ahora me explico tu respuesta anterior. Si has sido capaz de leer ese libro, ya tienes más conocimientos sobre la cábala que la mayoría, aunque Eco, en el fondo, se reía de la cábala y de los cabalistas de una manera muy elegante. Tienes buenos gustos literarios. A pesar de que jamás lo reconoceré en público, es una de las grandes novelas de la historia, al alcance de unas pocas mentes iniciadas. Tiene mucho mérito llegar a comprenderla.

—Gracias, pero ¿qué tienen que ver todo lo que me has explicado antes acerca de los amplios conocimientos del pueblo judío, y ahora la cábala, con los papeles de la condesa? Sigo sin verlo.

—Tiene que ver todo.

—Pero los dibujos de la condesa son de procedencia cristiana, no judía.

—Eso es lo que dice tu amigo Jaume Andreu, pero está completamente equivocado.

—¿En qué?

—Los documentos son de indudable procedencia hebrea, no cristiana. En lo que sí acertó fue en el año, se elaboraron exactamente en 1391, tal y como dedujo muy sagazmente. Fue brillante, en ese aspecto concreto.

—Pero toda la simbología es cristiana, los caracteres no son hebreos, incluso está el dibujo que hace referencia a la muralla cristiana de Valencia.

—Su autor fue muy ingenioso.

—¿Ingenioso? ¿Y qué pretendía?

Lo que quería es que, si caían en manos de personas sin los conocimientos adecuados, llegaran a la misma conclusión que alcanzó Jaume Andreu.

—¿Y el dibujo del árbol de la vida cristiano? Eso me parece demasiado evidente para que lo niegues. Lo he estudiado en la Facultad.

—Pues te equivocas. No es un árbol de la vida cristiano.

—¡Venga, Abraham! —exclamó Rebeca, incrédula.

—Em realidad, es muy sencillo. Si le das la vuelta al dibujo y lo miras del revés, podrás observar que se trata, en realidad, del árbol *sefirótico* o cabalístico, con sus diez esferas o *sefirot* perfectamente definidas.

Rebeca, de inmediato, se acordó de Carlota.

«Cuatro a cero», pensó. También había acertado con lo de dar la vuelta al árbol. La puñetera brujilla estaba arrasando.

Abraham continuó con su explicación.

—La palabra cábala en realidad significa recibir. Es muy difícil profundizar en su conocimiento, sobre todo si no se tiene un gran manejo de la *Torah*, así que ni lo voy a intentar. Además, piensa que, para acercarte a los bordes de su comprensión, necesitaría meses y no los tenemos. Lo que sí puedo ahora es darte una pequeña pincelada de las diez *sefirot* y del árbol cabalístico, que será suficiente para nuestro propósito, que no es otro que comprendas los dibujos de la condesa.

Rebeca escuchaba muy interesada. Aquello había dado un giro inesperado.

—La primera pregunta que cabría hacerse es, si para los judíos Dios es uno y único, ¿cómo podemos diluir esa definición tan clara y ahora defender que las diez *sefirot* son emanaciones de ese único Dios? ¿Cómo quedamos, son uno o son diez? La respuesta son ambas, uno y diez a la vez. Dios es único y las diez *sefirot* son las diversas formas que percibimos a ese Dios a través de su acción en el mundo, en el universo —Abraham hizo una pequeña pausa, mirando a Rebeca—. Ya sé que su comprensión es compleja, pero a modo de ejemplo, piensa en un rayo de luz que atraviesa un prisma. Entra un único rayo, pero sale una radiación de siete colores. Los siete provienen del uno. Pues algo parecido sucede con las diez *sefirot*, son emanaciones espirituales de un mismo Dios, a través de las cuales dio origen a todo lo existente. Las diez *sefirot* están comunicadas con las letras del alfabeto hebreo, dando lugar a veintidós caminos posibles, pero no vamos a entrar en ese nivel de detalle, que va más allá del propósito de esta explicación.

Rebeca sabía que eran conceptos muy complejos, pero Abraham Lunel era una de las máximas autoridades mundiales en la materia y lo explicaba de manera muy sencilla y didáctica. Se notaba que había dado muchas conferencias sobre el tema.

—La primera esfera o *sefiráh*, que es el singular de *sefirot*, es el **Keter**, que es como la raíz del árbol, representa la corona. Es el número uno. De él emanan otras dos *sefirot*, **Hojmá**, número dos, que representa la sabiduría, y **Biná**, número tres, que representa la inteligencia. Estas tres *sefirot* son las más importantes y representan el llamado *Arik Anpin*, o Gran Rostro.

—Curioso que sean tres, como la Santísima Trinidad cristiana —dijo Rebeca.

—Muy buena observación. Los judíos contrarios a la cábala utilizaban ese mismo símil para oponerse a ella. Decían que era la perversión del judaísmo.

Abraham Lunel continuó con su explicación.

—Después del Gran Rostro tenemos el *Zeik Anpin* o Pequeño Rostro. Entre ambos existe una especie de fosa llamada *El abismo*, dónde hay algo oculto acerca de lo que hablaremos en otro momento, pero acuérdate de este detalle. Este Pequeño Rostro está formado por seis *sefirot* más. **Hessed**, número cuatro, que representa la misericordia y la bondad. **Gevurá**, número cinco, que representa la Justicia y la fuerza. **Tiféret**, número seis, que representa la belleza. **Netzaj**, número siete, que representa la victoria de la vida sobre la muerte. **Hod**, número ocho, que representa el temor y **Yesod**, número nueve, que representa el fundamento, la estabilidad. Para terminar, fuera del Pequeño Rostro, en la rama central, está **Maljut**, el número diez, que representa el reinado. Voy a dejar la explicación aquí. Como comprenderás, esto son tan solo unas pequeñísimas pinceladas de un grandísimo cuadro, pero nos servirán para nuestro propósito.

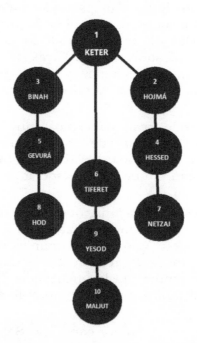

A Rebeca había un detalle de la explicación que no le cuadraba.

—Abraham, me has hablado de las diez *sefirot*, pero el árbol del dibujo de la condesa no tiene diez esferas, tiene once.

Bueno, en realidad doce, porque el número once tiene dos círculos superpuestos —observó Rebeca.

Abraham Lunel la miró con una sonrisa indisimulada.

—No me había equivocado contigo. Eres tan inteligente como presumía. ¿Recuerdas que te he dicho que te acuerdes de *El abismo*? Luego volveremos con ello.

Abraham bebió un poco de zumo.

Aunque te has saltado varios pasos, ya casi has descubierto el misterio fundamental que esconden los dibujos.

«¡Ah! ¿sí?», pensó Rebeca sorprendida

«Pues si lo he descubierto, no me he enterado».

Isaac sabía que había llegado el momento de terminar con la iniciación de su nieto Samuel. Aún era muy joven, pero los acontecimientos se habían precipitado. Tenía que estar listo para asumir su papel y apenas le quedaba tiempo.

No sabía cómo empezar, ni siquiera qué iba a pensar Samuel de todo ello. Su nieto era muy inteligente para la edad que tenía, pero sobre sus espaldas iba a recaer una gran responsabilidad que ni siquiera se imaginaba.

«Gran parte del éxito o fracaso del Gran Consejo y de mantener a salvo el árbol iba a depender de un niño de doce años, que es mi nieto», se dijo Isaac con cierto vértigo, «y no sé cómo empezar a explicárselo».

Era consciente que no podía demorarlo más.

Fue a su despacho y movió con cuidado el pesado armario que tenía a espaldas de su mesa. Metió con cuidado la mano en el hueco que había oculto en la pared. El espacio era grande, albergaba varios manuscritos y documentos bien escondidos, a salvo de miradas indiscretas. Sacó con cuidado unos libros bastante usados y los depositó encima de la mesa. Volvió a colocar el armario en su sitio.

Eran los bienes más preciados que se había traído de Barcelona y, curiosamente, no se los podía enseñar a nadie, ni nadie podía saber de su existencia. Eran su verdadero tesoro, junto con su nieto.

—*Séfer Yetzirah, Zohar*, que maravilla teneros entre mis manos de nuevo —dijo en voz alta.

Abrió otro libro de Abraham Abulafia, y dejó vagar la vista entre sus líneas. Aunque se los sabía casi de memoria, no pudo evitar emocionarse al poner sus ojos en ellos. Tenía todo el universo en sus manos. El mismo sentido de la creación.

De repente, pensó en Vicente Ferrer y una lágrima asomó por sus ojos.

«Solo espero que algún día Samuel sea capaz de comprender lo que va a ocurrir y, sobre todo, sepa perdonar lo que voy a hacerle», pensó Isaac, con absoluta tristeza.

92 EN LA ACTUALIDAD, VIERNES 11 DE MAYO POR LA TARDE

—Abraham, te aseguro que no tengo ni idea de que haya resuelto nada —dijo Rebeca, aún sorprendida por la afirmación del profesor Lunel de que casi había resuelto el misterio fundamental de los papeles de la condesa.

Abraham la miraba, con gesto divertido.

—Porque aún no has puesto cada pieza en el sitio que corresponde, pero tienes todos los elementos al alcance de tu mano.

—¿Las piezas? Tenemos dos dibujos, uno trata acerca de algo referente a la cábala que no acabo de comprender, y el otro sobre unas puertas de la muralla cristiana, de las que apenas queda ningún resto original en la actualidad. Ya me dirás cómo puedo progresar o resolver nada.

—Para empezar, las puertas no son puertas —dijo Abraham, con una sonrisa enigmática.

—¡Ah! ¿no? ¿Y qué son? ¿Ventanas?

Abraham Lunel no pudo evitar reírse de la ocurrencia de Rebeca, pero a esta no le sentó demasiado bien.

—¿No habías dicho que Jaume Andreu no se equivocaba con la superposición del dibujo de las líneas y los círculos de la condesa con las puertas de la muralla? ¿Y ahora resulta que las puertas no son puertas? —dijo, algo enojada, Rebeca.

—No como tú las entiendes. No tienes que buscar ningún resto arqueológico, pero no te enfades. Te aseguro que lo acabarás comprendiendo, deja que continúe con la explicación.

—Adelante, adelante —dijo Rebeca, no demasiado convencida.

—Venga, no te impacientes, vamos a empezar a poner, entre los dos, cada pieza en su sitio. La primera, ya te he explicado que los judíos, a lo largo de los siglos, acumularon un saber excepcional, después de haber convivido con multitud de pueblos y culturas diferentes.

—Sí, ya me lo has dicho. Me ha quedado claro hace un buen rato.

—Pero tienes que comprender que ese saber era verdaderamente excepcional. No te lo puedes ni imaginar. De hecho, una parte significativa de esa cultura aún permanece sin descubrir. Muchos conocimientos de diferentes civilizaciones se perdieron para siempre, pero los judíos los conservaron. Y no estamos hablando solo de manuscritos literarios que se creen desaparecidos para siempre, u otros de los que ni siquiera se tiene conocimiento de su existencia. También estamos hablando de grandes avances en el campo médico o botánico, que hoy en día causarían verdadero asombro en la ciencia. Se habla que, entre ellos, está el conocimiento de la vida eterna.

—¡Anda! ¡Supongo que no te creerás esa superchería! —dijo sorprendida Rebeca.

—¿Superchería? Quizá el concepto de vida eterna, así dicho, pueda sonar a ciencia-ficción o a ideología religiosa, pero no lo entiendas así. ¿Te has parado a pensar qué es lo que estamos intentando hoy en día? Cada vez vivimos más años gracias a los avances médicos. Enfermedades que hace poco eran mortales, en la actualidad se han convertido en crónicas. ¿Qué te crees que estamos buscando? Llámalo como quieras.

Rebeca estaba asombrada con lo que estaba escuchando, y sobre todo, por la pasión con la que Abraham Lunel lo estaba narrando.

—¿De verdad crees que los judíos tenían hace varios siglos ese nivel de conocimientos, y que los han mantenido ocultos durante todo este tiempo? — preguntó incrédula Rebeca.

—No solo lo creo. Lo sé y lo puedo demostrar.

—¿Lo puedes demostrar? ¿Cómo pretendes hacerlo? — preguntó Rebeca, cada vez más asombrada por el relato de Abraham.

—Te podría aportar varias evidencias históricas, pero para ponértelo más fácil, te voy a dar un ejemplo actual, cuya veracidad puedes comprobar con facilidad. ¿Has oído hablar de los *judíos ashkenazis*?

—No, ¿quiénes son?

—Son una comunidad judía de origen medieval que se establecieron en el centro de Europa. ¿Sabes cuántos años viven de media, desde hace varios siglos? Te vas a sorprender, entre los 90 años y los 120 años, y, en algunos casos, incluso sobrepasan los 130 años. Y todo ello sin hacer ejercicio y sin llevar una vida saludable tal y como la entendemos nosotros y, como colofón, la mayoría con notable sobrepeso. Tampoco nos podemos olvidar que no tienen acceso a los avances de la medicina moderna. En realidad, no los necesitan. Sus conocimientos de alimentación y botánica, desde hace varios siglos, son muy superiores a los nuestros en la actualidad.

—¿Eso es cierto? —dijo una sorprendida Rebeca.

—Completamente, lo puedes comprobar por ti misma, por eso he elegido este ejemplo y no otros incluso más evidentes. Si investigas un poco por internet, verás cómo los llamados eruditos tratan de enmascarar su longevidad con pretextos como la genética, pero eso es absurdo desde un punto científico. Ninguna variación o mutación conocida del ADN puede justificar eso. Son humanos, no extraterrestres.

—Me has dejado sin palabras —dijo Rebeca.

Abraham Lunel continuó con su relato.

—Por otra parte, todo este inmenso conocimiento no estaba custodiado en un único lugar, si no disperso allá dónde fue recopilado en su origen. Ya sabes que, en la península ibérica, conforme avanzaba el siglo XIV, la situación para el pueblo judío se volvía más convulsa y crítica. Toma nota de este año, 1354. Bajo el pretexto de la profanación de una Forma Consagrada, la judería de Sevilla fue asaltada y saqueada por una turba de cristianos furiosos. Este acontecimiento fue la gota que colmó el vaso.

—¿Qué vaso? —preguntó Rebeca, muy interesada por el relato que estaba escuchando.

—Simplemente, los judíos comprendieron que todo su saber, recopilado a lo largo de la historia, corría serio peligro. Si habían asaltado la judería de Sevilla por un motivo tan trivial, que no olvidemos que era, después de Toledo, la más importante de Castilla, ¿qué no podría pasar con otras juderías más pequeñas y más desprotegidas?

—¿Y qué hicieron? —preguntó Rebeca, que estaba totalmente enganchada a las explicaciones de Abraham Lunel.

—Algo extraordinario para aquella época. Pusieron en marcha una colosal operación para recopilar todo el conocimiento acumulado y disperso, reuniéndolo a salvo, todo junto, en un único lugar seguro.

—¿Y eso no era más arriesgado? Aquello suponía un grandísimo esfuerzo.

—En aquella época todo era muy arriesgado, pero también tomaron sus precauciones. Completar toda la operación de la forma más segura posible y sin despertar sospechas, les llevó más de treinta años. Además, crearon un grupo de guardianes que protegieran todo ese saber.

—Y eran diez —dijo Rebeca, lanzando una conjetura.

—¡Muy bien! ¿Ves cómo las piezas van encajando?

—Y ahora me dirás que empecemos, entre los dos, a encajar la segunda pieza, la cábala, el número diez, ¿no?

Abraham Lunel puso una cara de evidente satisfacción.

—Ya te había dicho que tenías toda la información en tu mano, solo necesitabas ordenarla y ya has empezado a hacerlo —contestó, con una sonrisa en su rostro.

93 15 DE NOVIEMBRE DE 1390

Mayionam, la madre de Gabriel, estaba desolada. Se acercaba el momento y aún no le había dicho nada a su hijo. Lo había comentado con su marido Isach y entre los dos decidieron retrasar lo máximo posible la conversación con Gabriel. Su hijo no se imaginaba nada, e iba a ser muy duro para él. Pensaron que cuando más tarde mejor, tampoco había obligación de que sufriera durante más tiempo del estrictamente necesario.

Todos se habían presentado voluntarios al Gran Consejo y, en consecuencia, todos sabían lo que podía pasar. No debían flaquear y menos en un momento tan crítico como el actual, pero cuando pensaba en su hijo se le encogía el estómago. Una cosa era la teoría y otra muy diferente la práctica. Además, en su único hijo.

Sabía que Isaac, el número dos, iba a hablar con su nieto Samuel, el amigo del alma de su hijo, mañana mismo. El bueno de Isaac no podía retrasarlo más. El papel de Samuel era más importante que el de Gabriel, y comprendía que necesitaba terminar su iniciación de inmediato.

Ella era la primera que sabía que la situación comenzaba a ser desesperada.

«Solo espero que no hablen entre ellos, al menos por un tiempo», pensó una abatida Mayionam. Si se enterara por otra persona diferente a ellos, las consecuencias serían catastróficas.

94 EN LA ACTUALIDAD, VIERNES 11 DE MAYO POR LA TARDE

Rebeca estaba expectante.

—A ver, cuéntame el encaje de la cábala en toda esta historia —dijo, con un evidente interés.

—La cábala tiene unos orígenes inmemoriales, se trata de unos conocimientos trasmitidos de manera oral a lo largo de los siglos. ¿Sabes quiénes recuperaron todo este saber, lo compilaron y lo extendieron por todo el mundo conocido?

—Sé que uno de sus principales libros de referencia, el *Zohar*, fue escrito por un judío que vivió en Galilea, lo que hoy en día es Israel, en la época romana —contestó Rebeca.

Abraham Lunel sonrió con cierta indulgencia.

—Te refieres a Shimon Bar Yojai, que fue un gran rabino y un gran cabalista, pero a pesar de lo que se cree, él no escribió el *Zohar*.

—¡Ah! ¿no? —preguntó sorprendida Rebeca—. Pues es lo que yo estudié. Así me lo enseñaron.

—No, y vuelvo a mi pregunta inicial, ¿quiénes impulsaron la cábala y la extendieron por todos los rincones?

—Por tu insistencia en esa pregunta, supongo que serían los judíos de la península ibérica, la actual Sefarad.

—¡Exacto! ¿No te das cuenta de las tremendas coincidencias? El *Zohar* fue escrito por un judío castellano llamado Moshé Ben Shem Tov de León, más conocido como Moisés de León, en pleno siglo XIII. Obviamente no escribió el *Zohar* desde cero, lo único que hizo fue compilar todos los conocimientos de la tradición oral cabalística.

Rebeca jamás había oído hablar de esa persona.

—No lo sabía y no es lo que se estudia en la universidad.

—Durante los siglos XIII al XV se vivió una auténtica explosión de la cultura cabalística en toda la península ibérica, empezando por Abraham Abulafia en el siglo XIII, que te sonará porque su apellido era el nombre del ordenador en *El Péndulo de Foucault*, hasta Isaac Luria, ya en pleno siglo XV. Sus seguidores crecían exponencialmente, y eso que muchos rabinos eran cabalistas, pero lo ocultaban.

—¿Por qué?

—Por diferentes motivos, algunos por una cuestión de prestigio personal. Ten en cuenta que la cábala aún tenía mala fama, incluso entre los propios judíos, y otros... bueno, algún que otro rabino muy conocido, tenía sus propios motivos.

Mientras Abraham Lunel dijo estas últimas palabras, no pudo evitar una sonrisa enigmática en su rostro.

—¿Y esa sonrisa?

—Pensaba en la ironía que tuvo que suponer para Rabbi Isaac Ben Sheshet Perfet todo este asunto.

—¿Quién era ese rabino?

—Uno de los miembros del primer Gran Consejo y un gran cabalista que jamás lo reconoció en público.

—¿Gran Consejo?

—En realidad su nombre completo era el Gran Consejo de los diez. Era el nombre que adoptaron los protectores del conocimiento, cuando al fin, después de más de treinta años, fue depositado en un lugar seguro.

—¿Y ese lugar seguro fue la judería de Valencia?

—Sí.

—¿Y por qué Valencia, si no era una de las comunidades judías más importantes?

—Precisamente por eso. La aljama de Valencia tenía un tamaño medio, ni muy grande ni muy pequeña. Estaba bien comunicada y los miembros del Gran Consejo podían pasar desapercibidos con facilidad. Además, no era tan conflictiva como otras y, sobre todo, era discreta. No estaba en primera línea, como las de Toledo o Sevilla, por ejemplo.

Abraham había conseguido interesar a Rebeca.

—Cuéntame más de ese Gran Consejo.

—La verdad es que es un tema apasionante. Los judíos de la época fueron unos adelantados a su tiempo. Comprendieron que, si tenían que crear una especie de confraternidad que vigilara su gran tesoro cultural y científico a lo largo de los siglos, era fundamental que este grupo perdurara en el tiempo. Fueron conscientes de que, para ello, debía de estar toda la sociedad judía representada en ese consejo, incluyendo ricos y pobres, ancianos y jóvenes, incluso hombres y mujeres.

Abraham hizo una pequeña pausa para que Rebeca asimilara la importancia de lo que le estaba relatando.

—Piensa que estábamos en plena Edad Media, dónde existían grandes diferencias entre clases sociales, no solo entre los cristianos, sino también entre los judíos, por no hablar de su carácter eminentemente patriarcal. El primer Gran Consejo fue toda una revolución para la época. Su composición fue muy heterogénea. Sus miembros fueron seleccionados uno a uno desde todos los rincones de la península ibérica. Tuvieron que trasladarse hasta Valencia, algunos dejando familia atrás y otros con ella. No todos vieron completada la obra, algunos murieron en el trascurso de los más de treinta años que costó culminar el proyecto y fueron sustituidos por sus herederos. Te aseguro que aquello fue algo muy grande e innovador, teniendo en cuenta que estábamos en pleno siglo XIV, en la Baja Edad Media.

—¿Supongo que, por lo que me has contado, su estructura y funcionamiento tendría que ver con la cábala?

—Vas encajando las piezas, así es. Eran diez, como las diez *sefirot* del árbol cabalístico. Se llamaban por sus números, y cada uno de ellos tenía algo que ver con el significado *sefirótico* de su número.

—¿Cómo? —preguntó Rebeca, que no había comprendido al profesor.

—Por ejemplo, el número siete, cuya *sefiráh* es *Netzaj*, que significa el triunfo de la vida sobre la muerte, estaba representado en el consejo por un maestre médico. Curiosamente, en el primer Gran Consejo, ocupó ese puesto una mujer, además verdaderamente formidable. Posteriormente, con el paso de los años, esta intención inicial se vio algo desvirtuada y no siempre se siguió esta pauta.

—¿Me estás diciendo que, hoy en día, todavía existe ese Gran Consejo de los diez, que cuida de los conocimientos ancestrales del pueblo judío?

Abraham Lunel sonrió.

—Quizá —contestó enigmático.

—Y lo que es más importante, ¿todavía permanece oculto todo ese saber secreto que me has contado?

—Quizá, quién sabe —dijo Lunel.

Abraham se levantó de la mesa de forma repentina.

—Me vas a disculpar, mañana a primera hora tomo el AVE hacía Madrid, y de allí vuelo directamente a Santiago de Chile. Aún no me he preparado la maleta.

Rebeca miró su reloj. Eran las siete y media, llevaban dos horas y media de conversación y no se había dado ni cuenta.

—Aún no me has contado lo que significan los dibujos de la condesa, y se supone que venía a eso —dijo Rebeca, levantándose también—. Tampoco me has contado nada acerca de ese abismo que existe en el árbol *sefirótico*. Me has dicho que lo recodara.

Abraham sonrió, pero no dijo nada.

—¿Y qué pasa con el número once? Siempre me has hablado del número diez, pero en realidad hay once números, doce círculos y doce puertas que, por cierto, me acabo de enterar que no son puertas —dijo Rebeca también sonriendo.

—Piensa en lo te he contado. Quizá ahora te parezca que tienes mucha información dispersa, pero dispones de todas las piezas del rompecabezas, tan solo te falta encajarlas. Cuando vuelva de Chile quedaremos con la condesa, y seguro que los tres tendremos una conversación muy interesante.

Rebeca se quedó completamente perpleja. No se esperaba esa frase de Abraham y no sabía qué decir.

—¿Con la condesa? ¿Con la condesa de Dalmau? —acertó a decir.

—Sí claro, con doña Mercedes —contestó Abraham.

Rebeca se puso a pensar con rapidez. ¿Era posible que Abraham Lunel desconociera la muerte de la condesa de Dalmau? La verdad es que en ningún momento de las dos conversaciones que había mantenido con él, ni en el *Speaker's Club* ni ahora, había salido el tema. Presuponía que ya lo debía saber, pero desde luego ella no se lo había contado.

Rebeca se puso lo más seria que pudo para darle la noticia a su amigo.

—Me temo que no será posible. ¿No sabes que la condesa murió? —dijo, al fin.

—¿Qué? —dijo Abraham, que casi se cae en su camino hacia la cocina, con los dos vasos de zumo vacíos en la mano.

—Falleció el martes de la semana pasada, justo después de visitarme y entregarme los dibujos —dijo Rebeca, que ahora estaba algo incómoda por la situación.

Abraham Lunel dejó los vasos en la repisa de la chimenea, y se apoyó en ella. Parecía que fuera a desmayarse.

—¿Tuvo un accidente? —acertó a preguntar.

—No, falleció de un infarto en su palacio.

—¿De un infarto? ¡Eso es imposible! —dijo Abraham, casi gritando.

—Al principio pensaron que fue víctima de un robo, por ello intervino la Policía y le hicieron la autopsia. No hay ninguna duda.

Abraham seguía algo aturdido.

—¿Qué no hay ninguna duda? La condesa estaba fuerte como un roble y perfecta del corazón. En Lisboa tenía un médico personal que le hacía exámenes todos los meses. Se cuidaba mucho, te lo aseguro.

—¿Cómo sabes todo eso?

—Bueno, la condesa y yo... —empezó a decir Abraham, y se calló de golpe—, éramos buenos amigos —concluyó la frase.

Rebeca se quedó mirando fijamente a Abraham. Su rostro había sufrido varias trasformaciones en apenas un minuto. Primero sorpresa e incredulidad, luego una inmensa pena, pero ahora... ahora era el vivo retrato del terror. Abraham tenía miedo. No sabía por qué.

—Esto lo cambia todo. Lo siento Rebeca, debes irte cuanto antes.

—¿Te encuentras bien? —preguntó, preocupada.

—No te preocupes por mí, hablaremos cuando vuelva de Chile.

Rebeca se dirigió hacia la puerta de salida. La abrió y escucho la voz temblorosa de Abraham Lunel.

—Escucha Rebeca, ten mucho cuidado. Nada es lo que parece.

El profesor Lunel desapareció hacia la cocina. Rebeca salió de su casa muy preocupada e intrigada. No se podía quitar de la cabeza esa expresión de terror en su rostro.

«¿Qué tenga cuidado de qué? ¿o de quién?», pensó Rebeca, alterada.

Algo no iba bien.

«¿Nada es lo que parece? ¿Qué querrá decir?».

Samuel estaba muy intrigado. Su abuelo lo había citado en su despacho antes de la cena. No era nada normal, Samuel no entraba jamás allí, además era sábado, el día festivo para los judíos, el *shabat*. Era el día semanal dedicado al descanso.

Aún recordaba que, cuando tenía siete años y estaba jugando, irrumpió por accidente en el despacho. Cuando su abuelo lo sorprendió tuvo que salir corriendo.

Samuel se quedó mirando la puerta cerrada y llamó con temor. Escuchó la voz de su abuelo diciéndole que pasara. Entró con cierto respeto. Su abuelo lo invitó a sentarse en una de las sillas desvencijadas que había visto en la otra ocasión en que, por accidente, había visitado su misterioso despacho.

«Algo no va bien», pensó de inmediato Samuel. Su abuelo tenía muy mala cara. También se fijó en el gran armario que había justo detrás de la mesa. Estaba como desplazado de su sitio, movido. Por un momento le vino a la mente su conversación con Gabriel. Le había contado lo del armario.

Su abuelo empezó a hablar, con voz temblorosa.

—Samuel, hay ciertas cosas que no sabes de mí y ha llegado el momento de que las conozcas. Quizá no te sea sencillo comprenderlo, pero créeme que, con el tiempo, lo harás.

Permaneció unos segundos callado. Ambos se miraban a los ojos.

—He guardado un secreto importante desde hace muchísimos años. Era necesario que permaneciera oculto por nuestra propia seguridad, pero ahora, entre nosotros, debe salir a la luz.

Samuel estaba muy intrigado, no entendía lo que le estaba intentando decir.

—Hay una parte de mí que no conoces. Escúchame con atención y no me juzgues mal. Es mucho más importante de lo que parece.

Su abuelo empezó a explicarse.

Samuel no podía creer lo que estaba oyendo. No era posible. No sabía ni qué hacer ni qué decir. Lo único que le vino a la mente fue su amigo Gabriel, cuando hacía pocos días le había contado su incursión en el despacho de su abuelo.

«Al final tenía razón», pensó Samuel, con los ojos llorosos.

Ahora comprendía muchas cosas, entre ellas la importancia del número diez.

Su vida iba a cambiar mucho a partir de hoy.

«Desde luego, nada es lo que parece», pensó.

96 EN LA ACTUALIDAD, VIERNES 11 DE MAYO POR LA NOCHE

Rebeca había salido alterada de casa de Abraham Lunel. No se imaginaba que la reunión iba a acabar de esa manera tan repentina y, sobre todo, con esa última frase tan enigmática, «nada es lo que parece». Cada vez que cerraba los ojos, veía el rostro de auténtico terror del profesor.

Todo ocurrió cuando se enteró de la muerte de la condesa. Se trasformó, hasta entonces era una persona y, después de conocer la noticia, otra. Su comportamiento cambió de forma radical.

«¿Cuál fue el motivo? ¿Por qué me dijo que tuviera cuidado? No lo entiendo, ¿de quién?», se preguntaba Rebeca, sin obtener ninguna respuesta.

Llegó a su casa, entró en la cocina y la encontró vacía. Le extrañó que no hubiera ni rastro de su tía ni de Joana. De repente, le vino a la mente que le dijeron que se iban a Monòver, un pueblo de la provincia de Alicante dónde tenían una casa familiar.

«Que disfruten del fin de semana. Además, mejor que no me vean con esta cara», pensó Rebeca. «Me conocen demasiado bien y seguro que me hacían preguntas que no quiero responder».

Pensó en llamar a Carlota. Igual estaba preocupada, ya que es la única persona que conocía su reunión con Abraham Lunel. Después de darle varias vueltas a la cabeza, decidió no hacerlo. ¿Y qué le iba a decir? Le puso un mensaje, «todo bien, ya hablamos el lunes». Así se quedaría tranquila.

Se tomó un vaso de leche bien fría, se comió medio paquete de galletas que estaban encima del banco de la cocina y se fue a su habitación.

«Supongo que me costará dormirme», se dijo, bastante despejada.

Tomó el móvil y busco en *Google* «judíos *ashkenazis* longevidad», a ver si lo que le había contado el profesor Lunel era cierto. Encontró un estudio de la Sociedad Americana de Geriatría. Parece que era cierta la longevidad de los judíos *ashkenazis*, según ese estudio. Como le había advertido Abraham, lo atribuían a que «quizá pudieran tener genes adicionales relacionados con la longevidad». Quizá, o quizá no. En realidad, no tenían ninguna evidencia científica que justificara por qué vivían hasta edades tan avanzadas. Además, el propio estudio indicaba que estaban más gordos que la media, hacían menos ejercicio que la media, fumaban más que la media, bebían más alcohol que la media y un largo etcétera de hábitos, en teoría, muy poco saludables. A pesar de ello, algunos de ellos vivían incluso más de 120 años. Era casi increíble.

Parecía que el profesor Lunel tenía razón. La longevidad de estos judíos con orígenes en la Edad Media no tenía ninguna explicación científica seria.

«¿Dispondrán de algún tipo de conocimiento que nosotros ignoramos?». Rebeca jugó mentalmente con esa posibilidad. «No. Lo siento, no me lo puedo creer», concluyó, después de darle vueltas a la cabeza.

«Vamos a ver, pensemos de manera racional. ¿Conocimientos que se guardan en secreto desde hace muchos siglos? Bueno, podría ser cierto que los judíos conservaran copias de libros antiguos de gran valor, incluso algunos manuscritos que se creen perdidos para siempre. ¿Por qué no? Eso entra dentro de lo posible. Pero de ahí a creer que esos conocimientos supondrían hoy en día grandes avances científicos, media un abismo», recitó Rebeca en voz alta, absolutamente incrédula.

De repente le vino a la cabeza *El abismo*. Cuando Abraham estaba hablando del árbol cabalístico, afirmó que, entre las tres primeras *sefirot* y las siguientes, se encontraba *El abismo*, pero que no estaba vacío, que había algo oculto. «Dijo que se lo recordara y que luego me lo explicaría». Después vino su apresurada despedida y no lo hizo. A Rebeca le dio la sensación que tenía su importancia.

De repente le entró sueño. «No lo voy a desperdiciar», se dijo. Dejó el móvil en la mesita de noche y se acostó.

Su último pensamiento, antes de dormirse, fueron las palabras de Abraham Lunel «piensa en lo te he contado, dispones de todas las piezas, tan solo te falta encajarlas».

Estas dos últimas semanas, Samuel estaba muy distante. Apenas se relacionaba con nadie y, cuando terminaba la escuela, se iba con su abuelo a casa. Más que su abuelo, ahora parecía su guardián personal.

Algo había ocurrido, pensaba Gabriel. Aquello no era normal. Antes siempre caminaban juntos a casa y no paraban de hablar entre ellos. «Ahora, de repente, parecemos perfectos desconocidos», se decía. Su situación había cambiado por completo.

Como Samuel le había dejado de lado, se relacionaba más con Jucef, y, para su sorpresa, se lo estaba pasando muy bien. Le estaba enseñando toda la judería de una manera diferente a como la conocía. Gabriel siempre iba por las calles principales, jamás se le había ocurrido meterse por esas callejas y pasadizos tan estrechos. En estas dos últimas semanas había conocido rincones que ni sabía que existían. Había descubierto que la morfología de la judería tenía mucho que ver con el diseño de la antigua ciudad árabe.

Hoy, Jucef le había prometido una sorpresa después de la escuela. Gabriel estaba emocionado. Si ya habían investigado por lugares insospechados, lo de hoy prometía emociones.

—Hola, Gabriel, ¿estás preparado para la aventura? —preguntó.

—Siempre estoy preparado. ¿Adónde me llevas?

—No seas impaciente, enseguida lo sabrás —dijo Jucef, con una sonrisa enigmática.

Salieron de la escuela, y se dirigieron hacia el sur por una serie de callejas muy estrechas.

—Este camino ya lo conozco, vinimos la semana pasada. Lo recuerdo bien.

Gabriel, por orientación, suponía que estaban cerca del portal de Caballeros, que era una de las cuatro puertas que daban acceso al recinto amurallado de la judería, que estaba siendo ampliada ahora mismo.

De repente, Jucef se detuvo en seco y se quedó mirando una pared.

—Sí, de momento sí, pero ahora verás —dijo, mientras se agachaba.

Había una reja, a ras del suelo. Parecía sujeta firmemente a la pared. Jucef la manipuló y en poco tiempo la extrajo. Quedó a la vista una especie de pasadizo por el que cabía perfectamente una persona, si se agachaba lo suficiente.

—¿Qué es esto? —preguntó intrigado Gabriel—. Está muy oscuro.

—Ya lo verás, sígueme —dijo Jucef, mientras entraba por el pequeño túnel.

Gabriel entró también. Jucef volvió a colocar con cuidado la reja en su sitio, y desapareció hacia el interior del pasaje. Gabriel le siguió. No había demasiada luz, pero de vez en cuando se filtraba algún rayo que permitía ver el suelo, que era bastante irregular. También era algo claustrofóbico. De repente llegaron a otra reja que les cortaba el camino. Jucef alargó la mano hasta la parte superior y también la extrajo.

Por fin se hizo la luz. Salieron del pasadizo medio subterráneo, para la satisfacción de Gabriel, que ya se estaba empezando a cansar.

—¿Dónde estamos? Este rincón no lo conozco —preguntó.

Jucef puso cara de pícaro.

—Te vas a sorprender, es lógico que no lo conozcas. ¿Quieres saber dónde estamos? Pues acabamos de salir de la judería sin que nadie nos vea. Estamos en la parte cristiana de la ciudad.

—¿Qué? —dijo asustado Gabriel—. No nos está permitido salir. ¿Sabes lo que nos harían si lo descubren?

Gabriel tenía cara de terror. Jucef intentó tranquilizarlo.

—No te preocupes, ya he venido otras veces por este camino y es completamente seguro.

—¿Cómo lo sabes? —dijo Gabriel, mirando hacia todos los lados.

Jucef exhibía una sonrisa burlona.

—Entre otras cosas, porque lo utiliza hasta tu madre.

A Gabriel le cambió la cara.

—¡Qué dices!

—¿Cómo crees que lo descubrí? La vi pasar una mañana por delante de la carnicería. Iba vestida muy elegante y la seguí. Hizo exactamente lo mismo que hemos hecho hoy nosotros, desapareciendo entre las calles de la ciudad.

Gabriel se acordó del día que vio salir a su madre vestida con ropajes cristianos, pero no dijo nada, permaneció en silencio.

—Está claro que hay personas que entran y salen de la judería y no quieren ser descubiertas. ¿Por qué será? —preguntó Jucef.

«Tengo la sensación que algo extraño está pasando delante de mis narices, pero no lo estoy sabiendo ver. Tengo que parar un poco y encajar todas las piezas en mi mente», pensó preocupado Gabriel.

Encajar las piezas.

98 EN LA ACTUALIDAD, SÁBADO 12 DE MAYO

Rebeca se levantó tarde, se puso ropa deportiva y salió a correr por el cauce del río. Necesitaba hacer ejercicio, le despejaba la mente y era algo que su cuerpo le pedía. Cuando no podía hacerlo, notaba que sus pensamientos fluían a menor velocidad, como al ralentí. Abrió la aplicación musical *Spotify* y seleccionó su lista de reproducción especial para hacer deporte. La primera canción era de la banda americana Imagine Dragons, *On top of the world*.

«Así me tengo que sentir hoy, en la cima del mundo», se dijo Rebeca. «Me voy a dar caña, a ver cuánto aguanto».

Corrió unos quince kilómetros a un ritmo sorprendentemente bueno, casi sin pretenderlo. Llegó agotada a casa. Se dio una ducha rápida y se tumbó en el sillón.

Pensó en invitar a Almu a pasar el fin de semana con ella, en su casa. Le apetecía compañía y hacía tiempo que no hablaban fuera de la Facultad de Historia o del *Speaker's Club*.

Tomó el teléfono y la llamó. Almu se mostró encantada. Le dijo que a las cinco de la tarde estaría en su casa.

Hablando con Almu le había sonado el móvil. Era Carlota, que le había contestado el mensaje que le envió ayer. «Estoy libre, llámame», le decía su amiga. Rebeca sonrió. Estaba claro que le picaba la curiosidad y quería que le diera detalles de su reunión con Abraham Lunel.

«Pues tendrá que esperar un poco, ahora tengo hambre», se dijo.

Su tía había dejado comida ya preparada en la nevera, en unos recipientes. Abrió uno de ellos. Eran albóndigas.

Estupendo. Las puso en un cazo al fuego y se las comió. No dejó ni un solo guisante de la guarnición.

«Ahora sí, voy a llamar a Carlota», se dijo, tomando el móvil entre sus manos.

Carlota se alegró mucho de oírla, como siempre. Le dijo que su hermana iba a pasar el fin de semana en su casa, así que estaba liberada de cuidar a su madre hasta el domingo. Tenía ganas de salir a tomar algo esta noche.

—Mi tía y Joana están en Monòver. He invitado a Almu a pasar el *finde* conmigo —dijo Rebeca— ¿Te apuntas?

—En una hora estoy ahí —le contestó de inmediato Carlota, casi sin pensarlo. Estaba agobiada de estar encerrada en su casa tantos días.

En cincuenta minutos ya estaba llamando al interfono de su casa. Rebeca le abrió la puerta. Se abrazaron. Acompañó a Carlota a la habitación de invitados para que dejara la mochila que llevaba.

—Quiero que me cuentes todos los detalles, no te dejes ni una sola coma —dijo Carlota, mientras tomaba asiento en el sillón del salón.

—Esperemos a que llegue Almu. He quedado con ella a las cinco y apenas faltan diez minutos. La pondré en antecedentes, así que escuche también el relato y no me tengo que repetir.

—Perfecto, mientras tanto ¿no te importa que me vaya mordiendo las uñas, si eso?

—¿No quieres tomar nada? —dijo Rebeca, riéndose de la impaciencia de su amiga por conocer su reunión con Abraham Lunel.

—Es sábado, venga, te acepto una cerveza. Y hasta dos.

Rebeca abrió una botella grande de *Chimay etiqueta roja*, una cerveza belga trapense tostada, que era una de sus favoritas. La sirvió en tres vasos, con su correspondiente espuma. Carlota pegó un buen trago.

—¡Qué maravilla! —dijo, saboreando la cerveza.

Sonó el interfono, era Almudena. Le abrió la puerta. Cuando Carlota y ella se vieron, se dieron un gran abrazo, hacía tiempo que no coincidían. Hablaron un momento de la enfermedad de su madre.

Carlota ya no aguantaba más, su curiosidad le podía.

—Venga, pon en antecedentes a Almu de una vez —le dijo a Rebeca—, que no me aguanto más.

—¿En antecedentes de qué? —preguntó intrigada.

Rebeca se giró hacia Almu.

—Supongo que te acuerdas de la reunión de anteayer del *Speaker's Club*.

—¡Cómo no voy a acordarme, después de la ridícula huida de Abraham Lunel, tirando su vaso al suelo y tropezando contigo! ¡Menudo numerito montó!

—Pues fue toda una impostura, puro teatro. Lo único que pretendía el profesor Lunel era dejarme una nota en el bolsillo de mi pantalón e irse cuanto antes del *pub*.

—¡Toma! —dijo Carlota, con un gesto muy al estilo del piloto Fernando Alonso— ¡Ya te lo dije!

—Perdonad, pero no entiendo nada —dijo Almu.

—Abraham Lunel me citó en su casa ayer. Quería hablar conmigo a solas, no delante de todos los miembros del club.

—¿Y para qué quería hacer eso? —preguntó Almu sorprendida.

—Me contó una historia casi increíble.

—No aguanto más, empieza a hablar ya —dijo Carlota, nerviosa.

Rebeca se acercó a la mesa y cogió el vaso de cerveza.

—Antes de comenzar el relato, que va a ser largo, propongo un brindis. Hace tiempo que no estábamos las tres juntas y... —empezó a decir Rebeca.

—...y déjate de rollos, cuentista. Venga, bebamos cerveza rápido y empieza a soltar por esa boquita —dijo Carlota, sin dejarla terminar.

Las dos se rieron de la impaciencia de su amiga.

Rebeca empezó a hablar. Conforme avanzaba el relato, la emoción de Carlota se venía arriba. Almu, en cambio, tenía una cara entre alucinada y también algo asustada.

Samuel estaba sentado en la mesa de su habitación. Había pasado un mes desde que su abuelo hablara con él. Aún se acordaba palabra por palabra de aquella conversación. Desde entonces, ya nada había sido como antes. No debía intercambiar ni palabra ni jugar con Gabriel. Después de la escuela se iba a casa acompañado de su abuelo, que no lo dejaba solo ni un momento.

Pero eso no era lo peor.

Su abuelo le había revelado la parte secreta de su educación, aquello que todavía no sabía. Muchas veces se había preguntado qué seria, pero ni una sola de ellas lo había adivinado.

La cábala.

Su abuelo era un cabalista y lo ocultaba a todo el mundo. Era su gran secreto, bueno, en realidad uno de ellos. Samuel jamás se lo pudo ni siquiera imaginar. Además, su maestro Rabennu Nissim también lo había sido. Era algo insólito, porque en público se mostraban indiferentes con ella. En concreto, su abuelo decía que ni la apoyaba ni la rechazaba, porque nunca había sido iniciado en sus secretos, por ello prefería no ocuparse de la cábala. Incluso lo había escuchado decir, en alguna ocasión, que Dios era único y que la cábala era a los judíos lo que la Santísima Trinidad era a los cristianos.

Desde luego que su abuelo fuera un iniciado en la cábala era algo completamente inesperado. Siempre había creído en la unidad de su Dios, y la cábala jugaba con ese concepto de forma muy peligrosa. Samuel siempre había admirado la pureza en el pensamiento de su abuelo y ahora sabía que, parte de ella, era una simple impostura, una tapadera para ocultar su iniciación cabalística. Tenía que reconocer que, desde un punto de vista intelectual, estaba más que decepcionado.

Esa era la parte secreta de su educación. El Gran Consejo de los diez, que debía proteger el árbol del saber milenario, era un grupo de seguidores de la cábala, que se organizaban siguiendo sus preceptos. Incluso aplicaban a todos los mensajes que se enviaban entre ellos, técnicas de cifrado mediante la numerología cabalística. Era algo completamente inaudito.

Su amigo Gabriel lo había descubierto a medias, pero no se imaginaba el alcance que, en realidad, había tenido su hallazgo. Iba bastante más allá de la posesión de dos libros iniciáticos de la cábala escondidos detrás de un armario.

Su abuelo había intentado que comprendiera que defender que exista un único Dios no era en absoluto incompatible con la cábala y sus diez *sefirot*, que eran precisamente diferentes emanaciones de ese único Dios. Eran conceptos muy complejos y difíciles de entender, por eso su abuelo Isaac había recurrido al símil del rey y de sus ministros. Se lo había explicado con gran paciencia.

—Mira Samuel, el reino dispone de un rey, que es único y todopoderoso, pero, a su vez, ese mismo rey tiene muchos ministros que se encargan de cada uno de los departamentos del reino. Cada ministro tiene sus competencias, por ejemplo, de un caso de justicia se ocupa el ministro de justicia, no el ministro de finanzas. Si un súbdito tiene un problema de justicia, también se dirige primero al ministro de justicia. Pues lo mismo ocurre en la esfera divina. Dios es el rey, es único y todopoderoso, pero tiene diez ministros, que son las diez *sefirot*. Por ejemplo, si tú rezas a Dios reclamando piedad para alguien que se lo merece, en realidad te estás dirigiendo a la *sefiráh Hessed*, que conoce de la misericordia —le explicaba, de una manera didáctica, su abuelo.

Samuel comprendía el símil, lo que no entendía era la necesidad de intermediarios en las relaciones con Dios. «¿Por qué preocuparse de los diez ministros o de las diez *sefirot*? Es mejor rezar directamente a Dios y que él se encargue de distribuirlo al departamento que corresponda», pensaba de una manera práctica Samuel.

No comprendía a los cabalistas. Jugaban peligrosamente con los conceptos fundamentales que daban sustento a la religión hebrea, además sin demasiado sentido, según su parecer.

100 EN LA ACTUALIDAD, SÁBADO 12 DE MAYO

Rebeca estuvo hablando casi una hora, con pequeñas interrupciones para contestar alguna pregunta que le formulaba sobre todo Carlota. Almu estaba demasiado pasmada como para reaccionar.

Por fin terminó su relato.

—¡Qué pasada! —dijo emocionada Carlota— ¡Es impresionante!

—No me estaréis tomando el pelo, ¿verdad? —dijo Almu, que aún no había reaccionado del todo.

—Te aseguro que todo lo que os acabo de contar se corresponde fielmente con mi conversación con Abraham Lunel. Por supuesto, no sé si lo que me contó es cierto o no, tan solo os he trasmitido sus palabras.

—Rebeca, ¿te queda más cerveza? —preguntó Carlota, que estaba realmente excitada.

—Claro, disculpad —contestó Rebeca, mientras abría la nevera y sacaba otra botella grande de *Chimay*. Rellenó los vasos vacíos.

—Disponemos de todas las piezas, solo nos falta encajarlas. ¿No os parece emocionante? La frase de Abraham Lunel es fascinante —dijo Carlota—. Yo misma la empleo mucho.

—¿Fascinante? Y la advertencia a Rebeca de que tuviera cuidado, que nada es lo que parece, ¿también te parece fascinante? —preguntó Almu, que aún no tenía clara su actitud ante el relato fantástico que acababa de escuchar.

—Venga Almu, tómate lo que nos ha contado Rebeca como un reto. Abraham Lunel nos ha regalado un rompecabezas desordenado, y nuestro trabajo es encajar cada una de las piezas para ser capaces de ver el dibujo completo —dijo Carlota.

—Muy poético, pero yo lo que intuyo es peligro —insistió Almu.

—Eso le da un toque excitante, ¿no te parece? —dijo Carlota, emocionada.

—La verdad es que no —contestó Almu.

Rebeca intentó poner paz.

—Chicas, no discutáis, miremos el lado divertido de la historia.

—¿Lo tiene? —preguntó Almu, que no acababa de comprender la excitación de sus amigas.

—¡Pues claro, Almu! Afortunadamente, en esta vida todo tiene un lado divertido, si no, sería muy aburrida —le contestó Carlota, con una sonrisa.

—Pues ya me explicaréis cuál es.

Carlota sí que parecía divertida.

—A sus órdenes. Empecemos por intentar buscar el sentido a los dos grandes temas de los que te habló el profesor Lunel —dijo Carlota—. El saber acumulado durante siglos por los judíos y la cábala. ¿Cómo encajan?

—Parece que los judíos se valieron de sus conocimientos cabalísticos para organizar una especie de grupo de protección de ese saber milenario, ¿no? —dijo Almu.

Carlota aplaudió.

—Muy bien resumido, Almu, ese es el buen camino. Ahora vamos con los dos dibujos de la condesa. El del árbol ya lo tenemos claro. Si se trata del árbol sefirótico, puede hacer referencia a estos diez guardianes del saber, con sus diez esferas.

Rebeca la interrumpió.

—Salvo que en el dibujo no hay diez esferas, sino once. Bueno, en realidad doce, porque el círculo en torno al número once es doble.

—Te estás adelantando a mi explicación —dijo, con una sonrisa—. Efectivamente, no hay diez esferas, hay doce. ¿Y dónde hemos visto antes ese número?

—¡En el otro dibujo! ¡En las doce puertas de la muralla! —contestó Almu.

—¡Muy bien! Entonces, ya tenemos un punto de coincidencia entre ambos dibujos. Ahora pensemos en lo que le dijo el profesor a Rebeca, que «las puertas no son puertas». ¿A qué se podía referir?

—No tengo ni idea —contestó Rebeca.

—¡Pues está claro! No tenemos que ver una puerta como una puerta y, en consecuencia, no tenemos que buscar restos arqueológicos del siglo XIV ni nada parecido.

—¿Entonces? —preguntó intrigada Rebeca.

—¿Cuál es la definición de puerta? Enseguida la busco en *Google* —dijo Carlota, mientras manipulaba su teléfono—. Aquí hay una definición que nos cuadra a la perfección: «entrada monumental que se abre en la muralla de una ciudad o población, que sirve para entrar o salir».

Se quedó mirando fijamente a sus amigas.

—¿Lo comprendéis ahora?

—La verdad es que no —contestó Almu—. ¿Deberíamos hacerlo?

Rebeca también tenía cara de no entender nada.

—Quedaros con la última parte de la definición. Si no hay que pensar en una puerta como tal, habrá que pensar para qué sirve una puerta.

—¿Para entrar y salir? —dijo Rebeca.

—¡Exacto! ¿Y si realmente el dibujo que coincide con las puertas de la muralla, por ejemplo, fuera la forma en que introdujeron todo ese gran tesoro cultural en la ciudad? ¿Y si las doce esferas tuvieran relación con las personas que se encargaron de ello? Si superponemos los dos dibujos, con el árbol al revés, con el plano antiguo de Valencia, veremos una curiosa coincidencia.

Rebeca se quedó mirando a su amiga con un gesto de admiración en su rostro.

—Cada día me sorprende un poco más tu mente maravillosa. No se me había ocurrido darle ese enfoque. Podrías tener razón una vez más, Carlota.

20 DE DICIEMBRE DE 1390

Gabriel aún seguía obsesionado con la biblioteca de la Sinagoga Mayor. Estaba convencido que el bibliotecario Abraham no era trigo limpio. No le había dicho nada a Jucef porque esperaba que, en algún momento, se reincorporara al grupo su amigo Samuel. Ya lo había dado casi por imposible, después de más de un mes de ausencia.

Gabriel había hecho algunas pesquisas por su cuenta hace algún tiempo, pero Abraham le conocía y no podía entrar en su presencia sin llamar la atención. Decidió que había llegado el momento de contarle a Jucef sus sospechas.

—Jucef, quiero narrarte una cosa, pero tienes que asegurarme que mantendrás el secreto.

—Claro, Gabriel, como siempre.

—¿Has estado alguna vez en la biblioteca de la Sinagoga Mayor?

—¿En la biblioteca? Jamás, ¿para qué?

Gabriel no pudo evitar reírse.

—Para leer, Jucef, para leer, para eso sirven las bibliotecas. Pero no importa. Para la aventura que te voy a proponer, es mejor que nunca hayas puesto un pie en ella.

—Pues entonces yo soy tu hombre, mi incultura me persigue —dijo Jucef riéndose también.

Gabriel sonrió y continuó con su explicación.

—Tengo la sensación, desde hace tiempo, que la biblioteca tiene algo que ver con el Gran Consejo —dijo Gabriel, en un tono misterioso.

—¿Cómo lo sabes?

—No lo sé, como te decía es tan solo una sensación. Abraham, que así se llama el bibliotecario, nos conoce a Samuel y a mí, por eso yo no puedo merodear por allí.

Jucef comprendió adónde quería llegar Gabriel.

—Pero yo sí que puedo dejarme caer por la biblioteca, ¿verdad?

—Claro, a ti no te conoce de nada. Podrías pasar desapercibido como un lector más.

—¿Cómo un lector más? Lo dudo, solo he leído libros en la escuela y porque me obligan. ¿Qué tendría que hacer exactamente?

—Cuando terminen las clases, algunos días, te podrías pasar por allí. Le explicas al bibliotecario que eres estudiante de la escuela y que te gustaría que te recomendara algún libro. Abraham lo hará encantado, le gusta mucho hablar. Tomas el libro que te dé, da igual el que sea, y procura sentarte lo más cerca que puedas de su asiento, próximo al armario que hay al final de la biblioteca. Suele estar vacía, así que no tendrás ningún problema en encontrar un hueco.

Jucef no parecía muy convencido.

—Ya sabes que no me gusta leer.

—No hace falta que lo hagas, tan solo tienes que disimular y estar pendiente de lo que ocurre a tu alrededor. En realidad, es casi mejor para nuestra misión que no leas nada. Así podrás estar más atento.

—Parece un plan bastante aburrido.

—También parecía un plan aburrido el día que te llevamos a la sinagoga por la noche, y mira cómo acabamos. ¿Te acuerdas de la noche de los siniestros? Fue de lo más entretenida.

Jucef se quedó mirando con cara desafiante a Gabriel.

—Es verdad —dijo, algo más animado—. Pero leer es aburrido —insistió Jucef sin poder evitarlo.

102 EN LA ACTUALIDAD, DOMINGO 13 DE MAYO

—¡Rebeca! ¡Despierta!

—¿Qué? —preguntó Rebeca, aún dormida.

Abrió los ojos y vio a Carlota, al lado de su cama, con una cara completamente desencajada.

—¡Que despiertes ya!

—¿Qué te pasa, Carlota? —dijo algo asustada.

—¡Tienes que levantarte!

Rebeca miró el reloj de la mesita de noche. Eran las cinco y cuarto de la madrugada.

—¿Se está quemando algo? —dijo, mientras se sentaba en la cama.

—No se quema nada, pero tienes que ver una cosa.

Rebeca aún estaba medio dormida.

—¿Y no puedo verla a las nueve de la mañana? —preguntó—. Ayer nos acostamos muy tarde. Creo que no hace falta que te lo recuerde.

—No, tienes que verla ya mismo.

Rebeca se quedó mirando a Carlota. Tenía el terror reflejado en sus ojos. Ahora sí que se empezó a preocupar, porque Carlota no era una persona que se asustara con facilidad.

—Parece que hayas visto a un espíritu —dijo Rebeca.

—¡Eso precisamente es lo que he visto!

—Carlota, me estás empezando a preocupar. ¿Has dormido algo?

—No, nada, no he podido. No he sido capaz.

Rebeca intentó despejarse y hablar con su amiga de una manera lo más racional posible, dada la hora tan intempestiva que era.

—Bueno, está bien Carlota. Cuéntame ¿Qué ocurre?

Almu entró en la habitación. Se quedó mirando la escena, Rebeca sentada en la cama y Carlota agarrándola del pijama.

—¿Qué son estos gritos? ¿Habéis visto la hora que es? —preguntó algo alarmada.

—Para mi desgracia, sí —contestó Rebeca, mientras no podía evitar bostezar abriendo la boca de oreja a oreja.

—Entonces, ¿qué ocurre? —insistió Almu.

—No lo sé, dirígete a esta chalada —dijo Rebeca, mirando a Carlota.

—¿Creéis en fantasmas? —preguntó, con un tono de voz muy grave.

—¿En serio me haces esa pregunta? —contestó Rebeca— ¿A las cinco y cuarto de la madrugada?

Almu seguía sin comprender nada.

—¿Esto qué es? ¿Algún juego?

Carlota intentó ponerse lo más seria que pudo.

—Escuchad, mirarme bien las dos. ¿Tengo cara de estar jugando? —dijo Carlota, con una cara que ni siquiera se parecía a ella.

Ambas se quedaron mirando a Carlota. Casi siempre estaba alegre, pero ahora no había ni pizca de gracia en su rostro. En su cara se reflejaba el terror auténtico, casi destilado. Esencia pura.

Rebeca salió de la cama. Carlota había conseguido asustarla de verdad. Su amiga no era su amiga.

«La conozco quince años. Jamás la había visto así», se asustó Rebeca.

103 26 DE DICIEMBRE DE 1390

—Tenías razón —dijo Jucef a Gabriel, nada más llegar a la escuela.

—¿Qué quieres decir? ¿En qué tenía razón? —preguntó extrañado Gabriel.

—Me refiero a la biblioteca de la Sinagoga Mayor.

—¿La has estado vigilando?

—Sí, he ido todos los días desde que me dijiste que la observara de cerca. Pedía un libro y me sentaba en primera fila, simulando que leía.

Gabriel estaba sorprendido con su amigo Jucef.

—¿Has descubierto algo? —le preguntó con curiosidad.

—Por eso te decía que tenías razón, allí ocurre algo extraño. El último día que estuve, vi entrar a una persona mayor. Por su cara no le conocí, pero en cuanto se puso a hablar con Abraham, recordé de inmediato su voz. Era el número uno del Gran Consejo.

—¡Jacob Abbu! —dijo Gabriel excitado— ¿Pudiste oír lo que decían?

—Apenas nada, aunque me pareció escuchar la palabra «árbol».

—Eso parece interesante.

—Lo importante no es lo que oí, sino lo que pasó, una cosa muy, muy rara, a la que no le encuentro explicación posible. Me tiene muy preocupado.

—¿Qué?

—Como te dije, vi entrar al número uno, escuché sus pasos desde la puerta hasta la mesa de Abraham. Los tenía justo delante de mí, hablando entre ellos. Para que no me descubrieran, fijé la mirada en mi libro, como si realmente estuviera leyendo, mientras trataba de escuchar todo lo que decían.

—¿Y qué paso?

—Pasó que de repente dejé de escucharlos. Levanté con disimulo la vista y el número uno había desaparecido.

—¿Desaparecido? ¿Quieres decir que se había ido de la biblioteca?

—Sí. Abraham estaba solo, sin compañía y sentado en su mesa, como si no hubiera hablado con nadie.

—Supongo que, dado que no estabas mirando, Jacob Abbu se despediría y saldría por la puerta.

—Eso es lo extraño. Como te había comentado, lo escuché entrar, oí sus pisadas, pero no lo escuché salir. No oí ningún paso hacia la puerta. Ni un solo ruido.

Gabriel se quedó mirando fijamente a su amigo.

—¿Estás completamente seguro?

—Del todo. Nadie se fue hacia la puerta de la biblioteca, sin embargo, el número uno ya no estaba allí.

—Sí que es muy extraño, teniendo en cuenta que tan solo hay una puerta de acceso a la biblioteca —dijo Gabriel asombrado.

—Te aseguro que no me lo he imaginado. Estuve muy atento en todo momento.

Gabriel se quedó durante unos segundos abstraído en sus pensamientos.

—Te creo Jucef. Ya te dije que siempre tuve la sensación de que la biblioteca era algo más de lo que aparentaba ser. Lo que me acabas de contar lo confirma. Aunque no sepamos exactamente qué pasó, creo que tu descubrimiento es muy interesante.

—¿Interesante? ¿Tan solo eso? Pues a mí me asusta un poco. No me gusta que desaparezca la gente, así como así, delante de mis propias narices.

—¿Jucef asustado? ¿Quién es el gallina ahora? —dijo Gabriel, en un tono claramente burlón.

—¿A qué te arranco la cabeza? —contestó Jucef, mientras ambos se reían.

Aún no comprendían el gran alcance del descubrimiento, aunque, en teoría, aquello no pudiera ser.

Era sencillamente imposible.

104 EN LA ACTUALIDAD, DOMINGO 13 DE MAYO

Rebeca y Almu siguieron a Carlota hasta el salón.

—Me habías dicho que no te habías acostado esta noche, ¿verdad? —preguntó Rebeca.

—Toda la enfermedad de mi madre ha conseguido alterarme el sueño, a veces me cuesta dormir. Esta noche estaba desvelada. No sabía qué hacer. De repente, me he fijado en el *tocho* del informe policial del caso de la condesa, y pensé que, quizá, si me ponía a leerlo, me entraría sueño.

—Ya veo que no ha sido así —dijo Almu, bostezando.

—No, no ha sido así —contestó Carlota, muy seria.

—Anda, venga, cuéntanos. Son las cinco y media de la madrugada. Estamos aquí, las tres en el salón, en vez de estar en la cama durmiendo —dijo Rebeca.

—¿Te has leído el informe policial? —preguntó Carlota, mirando a Rebeca.

—Bueno, entero no. Como tú dices, es un *tocho*. He visto las fotos, me he ojeado la autopsia, también los listados de bienes y todo eso.

—Está claro que no te has dado cuenta.

Rebeca pensó en la gargantilla de la condesa. No aparecía en ninguna fotografía ni en ningún listado de bienes.

—¿También tú te has dado cuenta de la desaparición de la gargantilla?

—¿Qué gargantilla?

—La gargantilla que la condesa dijo que... ¡pero bueno! Si no te refieres a la gargantilla, ¿de qué estás hablando? —preguntó Rebeca, que ahora sí que estaba intrigada.

—¿Te has leído la autopsia?

—Sí, claro, está al principio de expediente. El diagnóstico queda muy bien explicado y razonado, muerte por infarto de miocardio. Es lo primero que vi.

—No me refiero a eso.

—¿Entonces a qué te refieres?

Carlota alargó el informe de la autopsia hacia Rebeca y Almu, señalando una línea en concreto. Estaba tan impresionada que le temblaban hasta las manos.

Almu leyó en voz alta.

«Hora de la defunción: entre las 5:00 y las 6:00 del día 1 de mayo»

Ambas pusieron cara de no comprender a Carlota.

—Muy bien, murió entre las cinco y las seis, ¿y qué?

Carlota se empezaba a impacientar. Se dirigió a Rebeca.

—Vamos a ver, ¿qué día y a qué hora fue la condesa de Dalmau a visitarte al periódico?

Rebeca hizo memoria.

—Vino a verme el martes de la semana pasada, a las nueve de la mañana —contestó, que seguía sin vislumbrar adónde quería llegar su amiga.

Carlota lanzó la bomba.

—El martes de la semana pasada era día 1 de mayo. Según esta autopsia, la condesa de Dalmau llevaba, al menos, tres horas muerta, cuando fue a visitarte al periódico. ¿Lo entendéis ahora?

Las caras de Rebeca y Almu se trasmutaron.

Aquello no podía ser.

Era sencillamente imposible.

Fin del libro 1
Las doce puertas

Continúa en el libro 2
Nada es lo que parece

¿La condesa de Dalmau está viva o muerta? O peor aún, ¿existe en la realidad? Averigua eso y mucho más en la siguiente novela.

NOTA FINAL DEL AUTOR

Acabas de penetrar en el universo de **Las doce puertas**.

Es la primera novela de una saga de misterio e intriga, con un formato muy particular. Lenguaje sencillo y fácil de leer, con absoluto rigor histórico, acompañado, en esta primera parte, de una estructura de capítulos cortos, para facilitar la introducción a esta gran aventura.

A medida que avances, en las próximas novelas, notarás que la trama sube de nivel y descubrirás misterios históricos reales que te atraparán. A pesar de que se mantiene la estructura narrativa, la longitud de los capítulos irá en aumento, al mismo tiempo que su intriga.

Recuerda que tan solo has leído una pequeña parte de algo muy grande.

La serie ha sido número 1 en Estados Unidos (en libros en español) y, por supuesto, en España y México, batiendo récords de ventas y entrando en el TOP 25 en Europa, Australia y Nueva Zelanda. Ha sido traducida a varios idiomas.

Toda la serie está disponible en audiolibro a través de la plataforma Audible.

Bienvenido.

Tan solo acabas de abrir la primera puerta.

Ni te imaginas lo que te espera.

CLUB VIP

Si has leído alguna de mis novelas, creo que ya me conoces un poco. **Siempre va a haber sorpresas y gordas.**
Si quieres estar informado de ellas y no perderte ninguna, te recomiendo apuntarte a mi club, llamado, cómo no, **Speaker's Club**.

Es gratuito y tan solo tiene ventajas: regalos de novelas y lectores de ebooks, descuentos especiales, tener acceso exclusivo a mis nuevas novelas, leer sus primeros capítulos antes de ser publicados, etc.

Lo puedes hacer a través de mi web y no comparto tu email con nadie:

www.vicenteraga.com/club

REDES SOCIALES

Sígueme para estar al tanto de mis novedades

Facebook
www.facebook.com/vicente.raga.author

Instagram
www.instagram.com/vicente.raga.author

Twitter
www.twitter.com/vicent_raga

BookBub
www.bookbub.com/authors/vicente-raga

Goodreads
www.goodreads.com/vicenteraga

Web del autor
www.vicenteraga.com

COLECCIÓN DE NOVELAS «LAS DOCE PUERTAS» Y BILOGÍA «MIRA A TU ALREDEDOR»

Todas las novelas pueden ser adquiridas en los siguientes idiomas y formatos en **Amazon y librerías tradicionales**

ESPAÑOL
Formato eBook
Formato papel tapa blanda
Formato tapa dura (edición para coleccionistas)
Audiolibro

ENGLISH
eBook
Paperback
Hardcover (Collector's Edition)
Audiobook (coming soon)

Las doce puertas (Libro 1)
The Twelve Doors (Book 1)

Nada es lo que parece (Libro 2)
Nothing Is What It Seems (Book 2)

Todo está muy oscuro (Libro 3)
Everything Is So Dark (Book 3)

Lo que crees es mentira (Libro 4)
All You Beleive Is a Lie (Book 4)

La sonrisa incierta (Parte V)
The Uncertain Smile (Part V)

Rebeca debe morir (Libro 6)
Rebecca Must Die (Book 6)

Espera lo inesperado (Libro 7)
Expect the Unexpected (Book 7)

El enigma final (Libro 8)
The Final Mystery (Book 8)

BILOGÍA / DUOLOGY
«MIRA A TU ALREDEDOR»
"LOOK AROUND YOU"
(Forman parte de «Las doce puertas»)

Mira a tu alrededor (Libro 9)
Look Around You (Book 9)

La reina del mar (Libro 10)
The Queen of the Sea (Book 10)
Fin de la serie «Las doce puertas»
End of «The Twelve Doors» series

SERIE DE NOVELAS «ÁNGELES»

Formato eBook
Formato papel tapa blanda
Formato tapa dura (edición para coleccionistas)
Audiolibro

El misterio de nadie (Libro 1)

El faraón perdido (Libro 2)

Las puertas del cielo (Libro 3)

Para vivir hay que morir (Libro 4)

CONTINUARÁ...

TRILOGÍA EN UN SOLO VOLUMEN DE VICENTE RAGA «JAQUE A NAPOLEÓN» "CHECKMATE NAPOLEÓN"

Jaque a Napoleón, la trilogía: apertura, medio juego y final

ESPAÑOL
Formato eBook
Formato papel tapa blanda
Audiolibro
INGLÉS
eBook
Paperback
Audiobook (coming soon)

FREEPORT MEMORIAL LIBRARY

Made in United States
North Haven, CT
24 January 2024

47821791R00193